勉強脳

Outsmart Your Brain

Why Learning is Hard and How You Can Make It Easy

知らずしらずのうちに結果が出せる「脳の使い方」

ヴァージニア大学心理学教授
ダニエル・T・ウィリンガム 著

鍋倉僚介 訳

東洋経済新報社

OUTSMART YOUR BRAIN
by Daniel T. Willingham

Japanese translation published by arrangement with
Daniel T. Willingham c/o Aevitas Creative Management
through The English Agency (Japan) Ltd.

はじめに

脳のしくみがわかれば「学び」はもっと効率化できる！

あなたが幼稚園に入ったばかりのころ、自分の学習に責任を持ってほしいとは先生も親も思っていませんでした。

こんなことを5歳の子に向かって言う親はいないでしょう。

「先生に聞いたけど、色の名前をおぼえるのに集中できていないんだってね。お絵かきするときも、心を込めてやっているようには見えないと言われたよ。やる気がないのなら、幼稚園にお金を払い続けるのも考えものだね」

そう、幼稚園児が学ぶ環境をつくるのは、先生の責任ですね。

しかし、中学校に入ると様子は一変します。

授業中はノートをとり、家では教科書を読み込み、宿題をやり、試験勉強をするように言われたはずです。これは、次のようなことを期待されていることを意味します。

1 優先順位をつけて計画を立てる
2 難しい文章をひとりで読む
3 先延ばしにしない
4 内容を記憶する
5 集中する
6 十分に勉強できたかを自分で判断する
7 テストでは理解度を示す
8 学習の妨げになる感情にも対処する

こうしたことがうまくできないのは、生徒の課題であって、教師のせいにはできません。要するに、自立した学習をすることが求められます。

とはいえ、自分の脳の扱い方についてのマニュアルが用意されているわけではありませんし、誰かに教えてもらいたいと思っても、そんな機会はまずなかったでしょう。

大学生を対象とした調査では、大多数の学生が自分なりに勉強に集中する方法を編み出していることがわかっています。しかし、そうした対策に本当に効果があるのかはちょっと疑問です。

それが今回、私がこの本を書くことにした理由。

これは認知心理学者の私がまとめた、いわば「脳の取扱説明書」です。

脳を出し抜くべき理由

記憶というのはおかしなものです。

第一に、「学びたい」という気持ちが習得に直結しません。

むしろ、あえて学ぼうとしなかったことほど、よく覚えているということはないでしょうか。たとえば、次に挙げる質問について考えてみてください。

イギリスのヘンリー王子（サセックス公爵）は未婚か既婚か。

ハーヴェイ・ワインスタインはどんな悪事を働いたか。

映画『ローマの休日』の主演はオードリー・ヘプバーンで合っているか。

こういう質問は案外、答えられる人が多いと思いますが、勉強をして知識を得たわけではないでしょう。普段から情報を浴びているせいで、頭にこびりついているだけなのです。

一方で、**くり返しが記憶に結びついているとはかぎらない**（覚える助けになることは多いけれど）という事実もあります。

たとえば、1000円札の裏側には何が描かれているかパッと答えられますか？

実は、富士山ですが、その下に描かれているのは何でしょうか？

1000円札は日々、何度も見ているからわかって当然なのに、実際にはぼんやりとしか覚えていないですね。

普段、私は学生にこう尋ねることがあります。

「正直に言ってほしい。私が勧めた勉強法を試してみた？」

ほとんどの学生が「1回はやってみました」と答えたものの、2回以上はやっていませんでした。とりあえず試してみたのはいいけれど、やっても効果があると思われていないようなのです。

それでわかったのです。学習とはある意味、エクササイズのようなものなのだ、と。

たとえば、腕立て伏せの回数を増やしたいのであれば、普通に腕立て伏せの練習をすればよいでしょう。ですが、「床から体を突き放して拍手を入れる」といった、難易度の高い腕立て伏せに取り組んだほうが、エクササイズとしては効果を見込めます。

ただ、そうすると逆効果のように感じてしまいます。「バカバカしい。腕立て伏せの回数を増やそうと思ったのに、拍手を入れたらたった数回しかできないじゃないか！」

ここで、ぜひ覚えておいてほしいのは「大きな課題に取り組むほど、長い目でみれば力がつく」ということです。

反対に、膝をついて腕立て伏せを行えば、多くの回数を早くこなせるようになるため「やっている感じ」はしますが、エクササイズとしては効果がありません。

何かを学ぼうとするとき、脳はまさに、膝をついた腕立て伏せのようなことをさせようとします。ラクそうで、うまくいきそうにみえることをするよう、けしかけてくるのです。

しかし、本書の「脳を活かす勉強法」とは、効果の高いエクササイズのようなものだと思ってください。一見きつそうでも、長い目でみてすごい効果を得られるのです。

この本の〝効果的な〟使い方

中学校の勉強から、医学部や法科大学院で行われるような大学院レベルの教育にいたるまで、学校教育のフォーマットはほぼ変わりません。

授業を受け、1人で何かを読んで学習し、テストを受けることで実力を示すということです。学校教育にはそれ以外の要素（論文を書くなど）もありますが、学業はほぼこの3つのタスクから成り立っています。

本書もこうしたタスクの対処法を紹介していきますので、改善したいところに対応する章から、好きに読んでもらってかまいません。

また、学習のコツをすべて取り入れなくてもかまいません。うまくいかないと思ったら、別のものを試してください。

ただし、「なんとなくうまくいかないだろう」というだけの理由で、そのやり方を見捨てないでください。私が紹介する方法は直感的に「えっ、こんなの変じゃない……？」と感じるものが多く、役に立ちそうにないとさえ思ってしまうこともあるでしょう。

でも、まずは試してみて、その方法が使えるかどうかを判断してほしいのです。

この本を読めばなんの努力もせずに学習できるようになる――とは、約束できません。脳のしくみはそういうふうにはなっていないからです（もし、**世の中にそんなおいしい学習法があるという人がいたら……あなたからお金をだまし取ろうという人です**から、気をつけましょう）。

しかし、学習をかなり効率化できるということは約束できます。

この本で説明するのは、**学習のやり方をみるみる変える方法**です。それによって、自立して学習できるようになり、それだけ大きな効果が得られるようになります。

また、学習のスピードアップができ、一度学んだことを長いあいだ忘れないでいられるようにもなるでしょう。

皆さんは脳のしくみにちょっと詳しくなり、どこで挫折しやすいかもわかるようになります。

そう、気づけばあなたも「脳の力を無限に引き出す」ことができているのです！

もくじ

第3章

実習から学ぶ

第4章 ノートを工夫する

第5章 教科書をフル活用する

第6章

知識を血肉にする

第7章

テストに備える

第8章 テストを受ける

第11章 先延ばしに勝つ

第12章 集中力をキープする

第13章 自信を底上げする

第14章

不安と仲よくなる

第1章

授業を理解する

まず、本章であつかうのは「先生の話を理解すること」。皆さんは誰かの言っていることが理解できなかったら何をすべきか、わかるでしょわかるでしょう。そう、〝質問すればよい〟のです。

しかし、自分が何を理解できていないかにも気づいていない場合はどうでしょうか？　また、それを防ぐ方法は？

普段の会話はあらかじめ見通しを立てて行うのではなく、頭に浮かんだことを話しますから、思い浮かんだ順番に話がつながっていきます。

しかし、授業は階層的に組み立てられています。

つまり、今、話していない情報と関連づけながら授業を聴いてほしいと先生は思っているのです。詳しく考えてみましょう。

食品科学の授業で、肉の調理について説明を受けているとします。この日の授業のテーマは「肉を調理して細菌や寄生虫を死滅させる」「肉を調理して風味をつける」「肉を調理してやわらかくする」の3点。20～21ページの図が、この授業の概要です。

教師はこうした全体の構成を頭に浮かべて話していますが、授業を聴いている側は、違った経験をしています。授業を聴く学生は、情報を一つひとつ前から順番に、線状に受け取っていくほかありません。

図にあるアルファベットの大文字は、教師がそれぞれの内容を話す順番を示しています。

A、E、Lで示す情報（「細菌や寄生虫を死滅させる」「風味をつける」「やわらかくする」）は、3つとも同じ階層にあり、人が肉を調理する理由を示しています。しかし、教師がその点を強調せずに淡々と授業を進めたら、そうしたつながりがわからない学生も出てくるでしょう。

多くの学生は「コラーゲン」や「メイラード反応」のような些細な情報には引っかかります。こうした言葉を自分が知らないことには気づけるからです。

しかし、もっと深いところにあるつながり、つまり、構成に関わるような情報のつながりについては気づかないのです。そして、学生がとらえ損ねる情報は、先生が重要だと考える情報かもしれません。

そもそも脳は日常的に行う会話を理解するように進化しています。

普段の会話は、50分間の話を前もって用意したりせず、思いついたことから話すものです。一度に口にできるのは1文か2文だけなので、今言ったことと20分前に言ったことを聴き手のほうで関連づけないと理解できない、なんてことはまず起こりませ

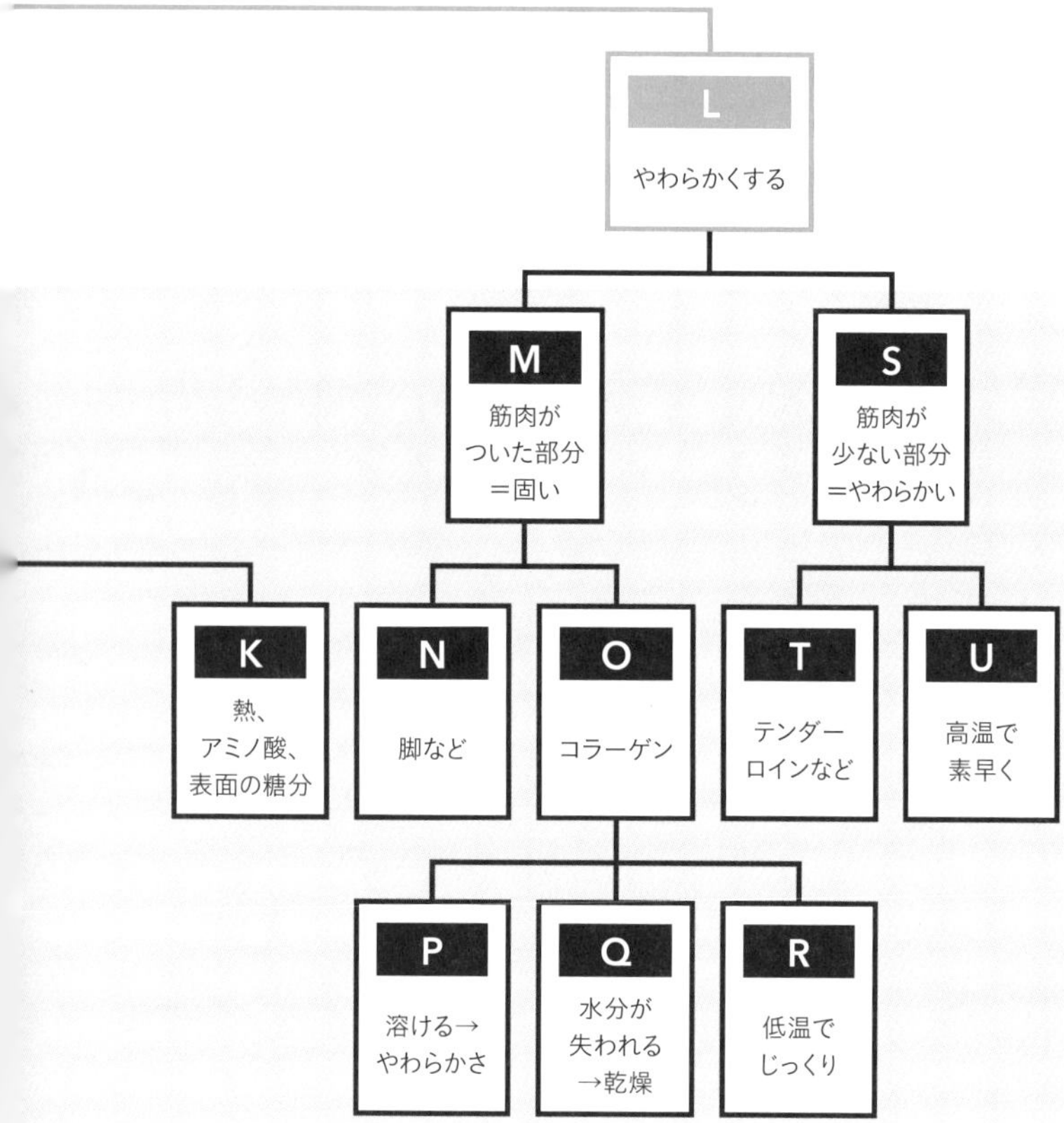
L
やわらかくする
M
筋肉が
ついた部分
＝固い
S
筋肉が
少ない部分
＝やわらかい
K
熱、
アミノ酸、
表面の糖分
N
脚など
O
コラーゲン
T
テンダー
ロインなど
U
高温で
素早く
P
溶ける→
やわらかさ
Q
水分が
失われる
→乾燥
R
低温で
じっくり

授業の構成を理解する

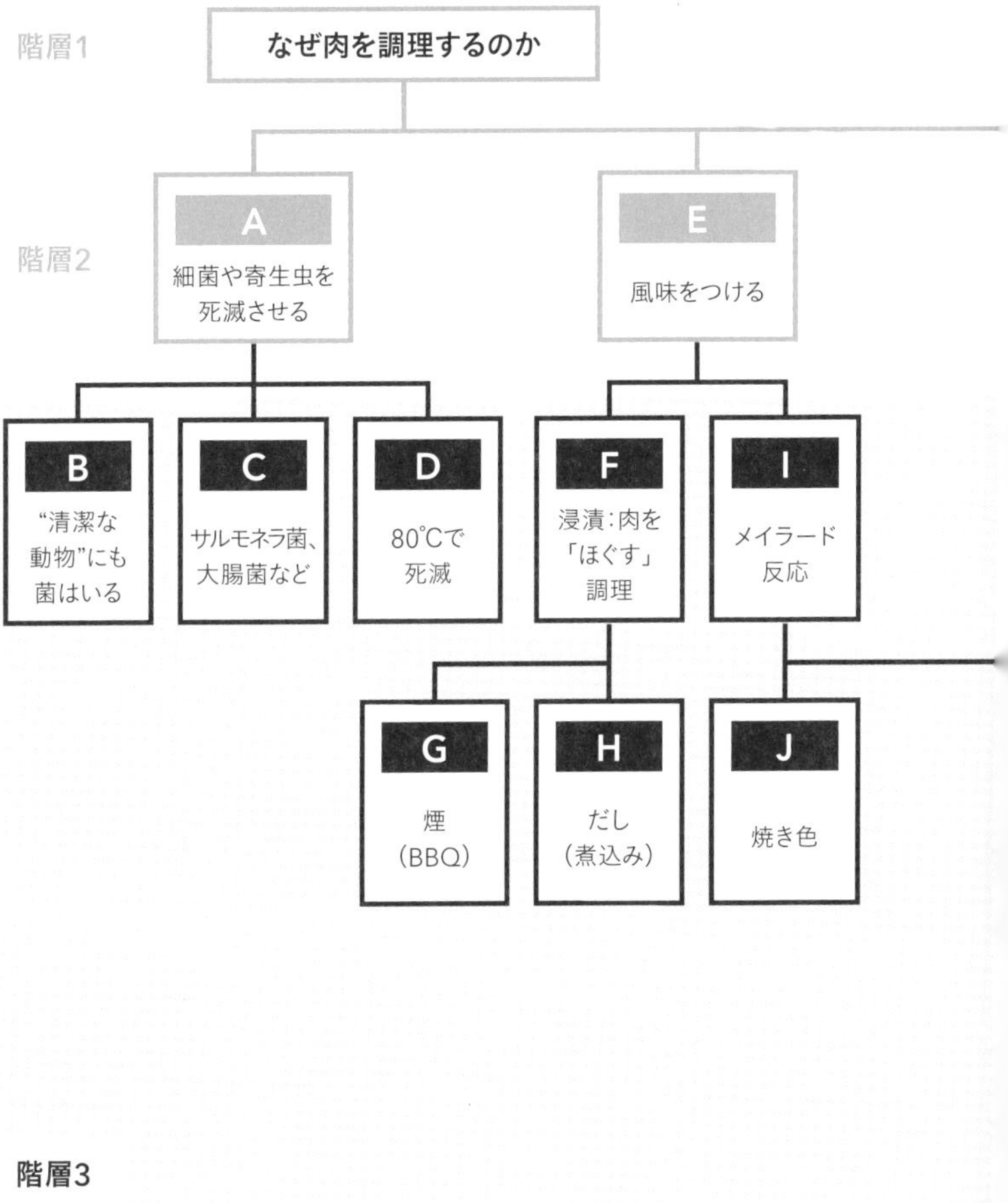
階層1
なぜ肉を調理するのか
階層2
A
細菌や寄生虫を死滅させる
E
風味をつける
B
“清潔な動物”にも菌はいる
C
サルモネラ菌、大腸菌など
D
80℃で死滅
F
浸漬：肉を「ほぐす」調理
I
メイラード反応
G
煙（BBQ）
H
だし（煮込み）
J
焼き色
階層3

んね。
しかし、授業というのは前もって階層的に組み立てられています。そのため、その情報が20分前に話された情報と関連しているということが大いにありえます。そうしたつながりをとらえ損ねてしまうと、その情報の多層的な意味合いをとらえることができません。

授業を聴くとき

✕ **脳がやりがちなこと** 友だちの話を聴くように授業を聴いてしまうため、内容の深いところにある関連性をとらえ損ねる。

○ **脳をフルに活かすと** 話し手の頭の中で組み立てられた内容（階層状）と、授業から受け取る内容（線状）の食い違いを知り、情報をつなげられる。

脳に効く方法

1

授業の〝骨組み〟をつかむ

理想は、先生がこんなふうに構成をはっきりと説明してくれることです。

「こちらが、皆さんに今日、学んでもらうポイントです。主な結論はXです。そして、Xは４つの要点によって導き出されます。それをこれから説明しましょう」

また、授業の合間に、構成に立ち戻って……、

「今終えたところは結論を導き出す最初の要点です。では２つ目の要点をみていきましょう」

しかし、世の中こういう丁寧な先生ばかりではなく、構成を自分で探り当てるほかないことも多そうです。

ただなんとなく聴いているだけでは、全体の構成を把握することはできませんから、**構成の１つ目と２つ目の階層を把握することを目指しましょう。**

1つ目の階層は「問い」、つまりその日の講義で一番重要なテーマです。18ページの食品科学の授業は「肉を調理する理由」でした。

授業のシラバスや発表のプリントなどの資料に前もって目を通し、授業の構成をつかむ手がかりにすることもできます。こうした資料を見れば、テーマはだいたい理解できるでしょう。そのテーマについての事前知識がなくても、話し手が最初に話すことを聴けばある程度理解することはできます。

2つ目の階層にあるのは、結論を導き出す「根拠」です。食品科学の授業の例では、人が肉を調理する3つの理由がそれに該当します。

親切な先生は「これで○○についての説明は終わりです。次に、実例をいくつかみていきましょう」というように、言葉ではっきりと教えてくれます。

一方、それほど気が利かない先生もいます。そのため、構成を把握する手がかりとなる言葉の合図を聴き逃さないようにしましょう。たとえば、こんな合図です。

■「2つ目の理由は……」

■「それによってまた別の疑問が生じます」

■「これで……がわかりましたね」

■「では、これを違う観点から考えてみましょう」
■「それはともかく……」
■「というわけです」

言葉以外の合図にも注意しましょう。教師は１つのトピックについてひと通り説明し終わったら、「ここまでで質問はありますか？」と質問の時間をつくるものです。

また、教師が自分のノートを見たり、ちょっと黙って考えていたりする場合も、次のトピックへ移る合図と考えてよいかもしれません。１つのトピックを終えて、次のトピックを確認していると考えてよいでしょう。

細かな情報を全体像に照らし合わせて解釈するには、授業を聴きながら常に全体像を頭に浮かべておく必要がありますが、どうにか授業についていき、ノートもとり……となると、なかなか難しいですね。

ですからときどき、**頭の中で全体像を点検する**ようにしましょう。

いいタイミングは、教師が新しいトピックへ移ろうとしているとき。

質問はないかと教師が尋ねたら、「先生が今言ったことを理解できているだろうか」と考えるだけでなく、**「先生が今言ったことが、今日の全体的なテーマ（問い）とどう**

つながるか理解できているだろうか」と自問するのです。
理解できていると言い切れない場合は、先生に質問しましょう。

ポイント
授業には階層状の構成があるものと考えて、授業中にその構成を抜き出してみる。

脳に効く方法

2

能動的に「聴く」

よく、授業はただ聴いていればいいから楽だと誤解している人がいます。しかし、授業とはそういうものではありません。

ギリシャ人の伝記作家プルタルコスは、今からおよそ２０００年前に、聴くことの難しさについて次のように述べています。

話し手には果たすべき務めがあるが、聴き手にはそれがないと考える人たちがいる。話し手は何を話すかを入念に考えて準備してくるのを当然だと思っている。それでいて、みずからの義務については考えることもなく、夕食にでも来たかのように勢いよく入ってきて席につき、よいひとときを過ごそうとするのだ。

夕食にやってくる客にも果たすべき務めがあるが、聴き手の務めはそれよりはるかに大きい。聴き手は議論の当事者であり、話し手の同志であるからだ。

私はこれまで大教室での授業を毎年行ってきて、また、ここ15年ほどは、社会人グループに向けて話をしてきました。身の入っていない学生と社会人というのはどちらも似たもので、簡単に見つけられます。席にダランと座って、気だるい目をしており、私が話し始めてもなかなか注意を向けてくれません。

そうなってしまうのは、疲れているとか、不安だとか、個人的な問題で気もそぞろだからというよりも、「受け身」だから。映画やコンサートを観にいく気分で授業を受けているのです。

何百人もの学生がいる講堂では、ショーの始まりを待つ気分になってもおかしくはありません。しかし、そのことを頭に入れ、気持ちの準備をして臨めば、よりよい成果が出せると覚えておいてください。

ポイント ただ聴くだけでは学習することはできない。その前提で授業に臨むこと。

脳に効く方法

3

課題は「先に」読んでおく

「次の授業までにこれを読んでくるように」という読書の課題。

先に読むべきか、それとも授業を受けてから読むべきか。どちらが正しい判断となるかは、授業が始まった段階で学生にどの程度の知識があると教師が想定しているかによります。まじめに読んでから授業に出ても、先生がその内容を本よりもわかりやすく説明してくれるのなら、先に読む理由がないでしょう。

一方、読んでいかなかった場合に、その知識を前提としてさらに踏み込んだ話をされたら、あわてることになります。

「授業前と後のどちらに読んだほうがよいか」を、率直に先生に尋ねることもできます。たいていの教師は、事前に読書をすませてきてほしいと言うでしょうが……。

私が大学生のときに叙事詩の授業を取っていたときのこと。『イーリアス』や『オデュッセイア』『ローランの歌』など、どれも理解するのが難しい詩があつかわれました。詩の深い意味が理解できなかったというより、そもそも詩の中で何が起こっているのかがよくわかりませんでした。

受講生は事前に50ページほどを読んでくることになっていました。先生は、歴史や文化の側面に着目して授業を行ったので、それを聞けば詩がどのような文脈で書かれたのかが多少なりとも理解できました。

3週目に入ったころ、先生が毎回、授業の始まりに読書範囲を要約してくれていることに気づきました。そこで、授業の後にその範囲を読むようにすると、はるかに簡単に理解できるようになりました。

それに、読んでいかなくても授業を聴く上で違いはありませんでした。先生がまとめを話してくれるので、歴史や文化の話題にもなんとかついていけたのです。

教師の話題についていくのは問題ないけれど、読むものが難しいという場合は、講義後に読むようにして、それでうまくいくかを確かめるとよいでしょう。

ポイント

読むにせよ、聴くにせよ、その内容に触れるのが二度目になると理解しやすい。どう読み、どう授業を受けるかを事前に考えておこう。

脳に効く方法

4

堂々と「質問」をする

「質問しなさい」と言われると、「それができればね……」と思う人もいるでしょう。その理由としてよく挙がるのが、①「迷惑をかけたくない」、②「頭が悪いと思われたくない」、③「恥ずかしい」というものです。

「迷惑をかけたくない」というのはいい心がけですね。教師はよく「どんな質問でも歓迎します！」と言うのですが、本心でそう言っているわけではありません。迷惑な質問は歓迎しませんし、一部に面倒な質問があるのも事実です。

次のように授業の内容と関係がなく、**自分の知識をひけらかすための質問は迷惑だ**と思われるでしょうね。

「先生、19世紀のヨーロッパの歴史について先生のおっしゃったことは、ツパイ（リスに似た、東南アジアに生息する哺乳類）の身体構造と関連していませんか？　ちなみに僕は今、ツパイについての本を読んでいるんですけどね……」

あるいは、こちらはどうでしょうか。

「先生、19世紀のヨーロッパの歴史について先生のおっしゃったことは、貴族階級の没落が差し迫っていたことと関連していませんか？」

先ほどのツパイにからめたものとは違い、まっとうな質問です。だけど、ぎょっとした顔をしている学生も何人かいるにちがいありません。その気持ちもわかります。そうした学生はこんなふうに思っているかもしれません。

「君がわざわざ尋ねているのは、先生が授業で取り上げるほどでもないと思ったことなんだよ。勉強熱心なのはいいよ（たぶんね）。けど、君の熱意になんで俺たちみんながつき合わなきゃいけないの？」

もちろん、多くの人はそんな態度は取りませんし、学習を目的とした場でいろいろと深掘りするのは（少なくとも）大目に見るべきだと思っています。ただ、少数の人に迷惑だと思われるのが嫌だという場合は、新たな領域へ分け入る質問はしないことです。直接、先生に聞きにいってください。

まったく迷惑をかけないのは、わからないところの説明を求めるという、一番おなじみの質問です。**意味を聞き逃したため、もう一度言ってもらうようお願いする場合や、根拠となる3つの理由を挙げたときに、2つしか聞き取れなかった場合**などがそれにあたります。

内容を理解できた同級生だって、誰しも聞き逃すことがあるのはわかっていますし、それで「進行が遅れる」と言ったって、せいぜい数十秒です。

では、教師が複雑なことを説明し、ただただ理解できなかった場合はどうすればよいでしょうか。もう一度、１から説明してほしいと頼めますか？

「他のみんなは理解しているかも……説明を求めたら頭が悪いと思われてしまうのでは？」と心配になるかもしれません。

これは、理解できたかどうかが問題なのですから、聞き逃したことを尋ねる質問とは違います。つまり「聞き取れませんでした」ではなく、「聞き取れたけれど、私の頭では理解できませんでした」というのが不安の原因です。

これは質問の仕方によって、不安を和らげることができます。

漠然と「もう一度説明してもらえますか？」と言うのはやめて、まず、自分が理解できていることを話すのです（「○○というところまでは理解できたのですが……」）。そうすれば、教師は的を絞って説明できます（時間の短縮にもなります）。

心配性の人は、こうしたアドバイスでも納得いかないかもしれません。では、いったん頭を切り替えて、先生の視点からみてみましょう。

質問によって助かるのは、質問をした人だけではありません。質問には、教師に感想を伝える意味合いもあるのです。まともな教師であれば常に学生の表情をうかがい、混乱させていないかをみています。しかし、それにも限度がありますので、直接感想を言ってもらえるとありがたいと思うでしょう。

もう一度説明することが時間の無駄になるかについてですが、それを判断するのはあなたではありません。教師である私たちの側で判断することです。

もし質問に答えるメリットがないと思えば、「先に進まなきゃならないから、後でまた取り上げることにしよう」と伝えます。

最後に、「恥ずかしい」という理由で質問できない場合の対処法についても述べさせてください。

「質問を恐れない」というのは、無知だと思われるとしてもしっかりと身につけるべきスキルです。

仕事では、誰もが自分の性格や能力に反することをしなければなりません。たとえば外交的でコミュニケーション好きな営業職でも、週に1日はデスクワークをしなければならないでしょう。

質問するのが好きでなくても、「これはシャイな性格の一部だから変えられない」

とは思わず、**スキルの１つであり、改善の必要があること**なのだと考えてください。

教室では、できれば一番前の席に座りましょう。そうすれば他の人が見えなくなりますし、多少は人目が気にならなくなるかもしれません。まずは練習として、言葉の意味を聞くなど、短めの質問から挑戦してみましょう。質問をすることに完全に慣れることはないかもしれませんが、努力した分、質問をするのが楽になるでしょう。

ポイント　どういう質問が迷惑で、どういう質問がそうでないのかを知っておく。まともな質問であっても尋ねるのが面倒だったら、「これは習得すべきスキルだ」と考えてみる。

第2章

ノートを効率的にとる

人は、書く速さのおよそ6倍の速さで話しますから、完璧なノートをとることじたいが無理だということは知っておきましょう。「ノートをとるのが苦手で」という人がいても、不思議ではありません。

ある研究によると、教師にノートにとるべき重要なポイントを挙げてもらい、実際に学生がとったノートと照らし合わせたところ、学生は25〜50パーセントほどしか拾えていませんでした。しかも、この割合は中学校から大学まで変わらないのです。

さて、次に掲げる項目①と②は、授業を理解するのに必要な心理プロセス、項目③〜⑦は、ノートをとるときに必要となる追加の心理プロセスをそれぞれリストにしたものです。

授業を理解するのに必要な心理プロセス

① 注意を散らさず、授業への集中力を維持する
② 自分がほぼ知らない複雑な内容を聴いて理解する

ノートをとるときに必要な心理プロセス

③ 内容の重要性を考えて、ノートに書くべきものと省くべきものを選別する

④　授業の情報をどう言い換えるかを判断する
⑤　実際にノートに書く、またはパソコンに入力する
⑥　ノート（またはノートパソコン）と教師の間で視線を移動させる
⑦　これまでに挙げたすべての心理プロセスを調整し、プロセス間で注意を向けるものを切り替える。言い換えれば、いつ、どれだけの間、どのプロセスに注意を向けるかを判断する

このリストからわかるように、授業を聴きながらノートをとるというのは、チェスをしながら、サスペンス映画を観て、料理をつくるような「離れワザ」ですね。すべての心理プロセスに均等に注意を向けることはとうていできないでしょう。では、省くとしたらどのプロセスでしょうか。一般的に試みられるのは、書く速度、またはタイピングする速度を上げることです（プロセス⑤）。

多少字が汚くなったとして、あるいは打ち間違えが多くなったとして、それがどうだというのでしょう。それでノートをとるのが遅れずにすむのなら、ささやかな代償にすぎません。

次に手をつけるのが情報の言い換え（プロセス④）です。言い換えは手間がかかるため、人は余裕がなくなってくると、先生が言った言葉をそのままノートにとるようになります。言い換えに頭を使わなくてすむからです。しかし、先生の言ったことを細部までひたすら記録しようとすると、授業の理解（プロセス②）がどんどん浅くなってしまいます。そして、理解が浅くなると、ノートに書くべきものと省くべきものを選別すること（プロセス③）ができなくなるのです。

つまり、ノートをとろうとして省略しがちなプロセスは、すべて理解すること（情報を理解し、その重要性を考え、言い換える）に関わっていることがわかるでしょう。

ノートをとるのが遅れるというプレッシャーを感じると、**脳は書くことに多くの注意を向け、理解することに向ける注意を減らしていきます。**

「内容はよくわからないけれど、とりあえず書いておけばいいか」ということです。

さて、ここで私が「ダメだ！　書くことへの注意を減らして、理解することにもっと注意を向けて！」と言うと思いますか？　いいえ、話はもう少し複雑です。

理解することと書くことのどちらに多く注意を注ぐかは、授業の内容や学習の目標によって変わってきます。ときには、多くの細部をそのまま覚えることが学習となることも。詳しく説明していきましょう。

授業でノートをとるとき

✕ **脳がやりがちなこと**　書く速度を上げることにどんどん注意を注いで、先生の話に必死についていこうとする。内容を理解するのにあまり注意が向けられなくなる。

○ **脳をフルに活かすと**　書くことに向ける注意と理解することに向ける注意のバランスを保てるよう対策を立てる。どういう対策がいいかは授業の内容によるため、できれば事前に決めておく。

脳に効く方法

5 ツールの準備がすべて

いいノートをとるために一番問題なのが時間の節約。授業前にできることはやっておくことがポイントです。

ペンを揃える

必要な道具を必ず持ってくるようにしましょう。ペンは1本だけでなく、予備としてもう2本持ってきましょう。予備の1本は自分のために、もう1本は隣の人が忘れてきたときのためです。鉛筆は使わないでください。鉛筆の利点は消せることですが、ノートが汚れてしまいます。ノートパソコンやタブレット端末でノートをとる場合は、充電を万端に。

ツールを揃える

ノートパソコンを使う場合は、科目ごとにフォルダを用意しましょう。配布資料はスキャンして電子化し、すべての資料を1カ所で管理できるようにします。手書きでノートをとる場合は、科目ごとにノートを買いましょう。なお、ノートはプリントを入れられるポケットのついたものがベスト。

練習問題や実験の実習が課されている場合はノートを別にし、それらのノートが途切れないようにしましょう。ページを好きに動かせるので、バインダーを使う人もいます。少し重いですが、ノートを取り違えたくないからと、1つのバインダーにすべての授業のノートを挟んでいる学生もいます。これはお好みで。

家を出る前から準備する

授業に必要なものを持っていくのを忘れがちな人は、リストをつくること。そして毎晩、「明日は何の授業があるんだっけ？」と考える習慣を身につけましょう。

この問いを毎晩やること（スマホの充電など）に結びつけて考えるようにするのです。そして翌日の授業に必要なものをまとめましょう。こうやってまとめておいても、忘れて家を出てしまうような人は、荷物を玄関ドアの近くに置いておき、家を出るときに目に入るようにします。

ふせんとマーカーはいらない

ユーチューブにはノートのとり方についての動画が多く上がっており、授業で蛍光マーカーやふせんを使うことをすすめているようですね。意味や定義は赤ペンで書き、説明部分には青のマーカーを引くというのが彼らのアイデアです。しかし、**こういったことをやっても、さして有用なノートができあがるわけではありません。**

単にインクの色を替えることやふせんをきれいに貼ることに時間と注意力がとられてしまいますから、やるだけ無駄と考えましょう。

ファイルの整理はしておく

色分けは不要ですが、ノートを整えておくことは大切です。ページの一番上には日付と教科名を書きましょう。また、右と左に余白を広くとっておくと、後で情報を書き足すことができます。

ノートパソコンの場合は、授業ごとに新しいファイルを使いましょう。ファイル名の頭には日付を年月日（例：22-03-18）で入れましょう。そうしておくと、コンピュータがファイルを日付順に並べてくれます（後で更新することがあるので、ファイルの作成日時での管理はあてにできません）。

ファイル名の日付の後にファイルの内容について加えます。そして、お願いですから、同期プログラムを使ってファイルの自動バックアップを行ってください。

5分前には到着を

授業の開始5分前には教室に着くようにすれば、息を整えて、物を取り出し、スマホの電源を切るだけの余裕ができます。また、授業前に読んでくるよう言われたプリントに目を通し（もしくは、前回の授業でとったノートを見返し）、そのトピックに頭を切り替えておくとなおよいでしょう。

どれもささいなことに思えるかもしれませんが、すべては授業に集中するため。手を打っておかないと、ささいなことが積み重なり、すぐに注意力が削がれてしまうおそれがあります。

ポイント　注意が不十分にならないよう、授業中はできるだけ必要のないことを行わないようにすること。

脳に効く方法

6 「理解する」か？「書く」か？

理解することに多くの注意を向けると、ノートに記録できる情報の量が減ると言いましたね。そのため、自分が何を学ぼうとしているのかをよく考え、授業の前に、今日は**「理解すること」と「内容を書き取ること」のどちらを重視するか**を考えておきましょう。

たいていは情報を書き取ることよりも理解することのほうが重要になるはずです。というのも、細かい事実は本などでも確認できるからです。むしろ、そうした情報について生身の人間（先生）から納得のいく説明をしてもらうことに授業を受ける意味があるのでは？　ただ、他では得られないような情報がひたすら開示される授業であれば、早く書くことに重きを置いたほうがよいでしょう。

できるだけ多くの情報をノートに書き取ることを重視するのであれば、やるべきことは決まっています。**深く理解したり、自分の言葉で言い換えたりすることはあまり**

気にせず、できるだけ早く書けばいいのです。とはいえ、理解していないことは書けません。

たとえば、ある授業を受けているときに「『技術革新はたいてい、詰め物が半分なくなったパイの皮に似ている』と先生は言ったけど、どういう意味かまったくわからないな。後で考えるか、誰かに聞こう」と思ったとします。しかし、今わからないことは、後になるともっとわからなくなります。それに、後で誰かに「先生が言っていたパイのことだけど、あれってどういう意味？」と聞いても、「覚えてないな」と返ってくるだけでしょう。できれば、すぐに先生に説明を求めるか（脳に効く方法4を参照）、後で聞くためにメモをとっておきます（脳に効く方法8を参照）。

では、理解することを重視すべき場合はどうすればよいでしょうか。この場合、教師の言葉をそのまま使うことは避ける必要があります。一番簡単な対策は、**先生が話していることを理解したら、それをそのまま書くのではなく、自分の考えたことを書く**ことです。そうすれば、内容に注意を向けることができますし、時間の節約にもなります。たとえば、先生が次のように言ったとします。

「つまり、ブッシュ大統領は再選を目指した選挙活動で心身ともに疲れ切っていたことから、内閣の側が予想したのは……いや、予想ではないかな、むしろ恐れというか……ともかく、新たな任期の第1四半期は浪費されて、大統領の活力が戻ってくるころには、いわゆるハネムーン期間は過ぎ去っているのではないかと彼らは考えたんだ」

これを受けて、ノートには「選挙活動でブッシュは疲れ切っていた。内閣はブッシュの休養を気にかけていた。政治資本の浪費」と書いておけばよいのです。

言い換えるために思考すると、記憶が残りやすくなるというメリットもありますが、その理由については3章で説明します。

ポイント

情報過多の授業でも理解するのが難しくない場合は、できるだけ書き取ることに集中を。授業内容の抽象度が高い場合は、理解することに集中し、ノートをとるにしても自分の言葉を使うようにする。

脳に効く方法 7 手書きで書く

ノートをとるのに紙とペンを使っていますか？　それともノートパソコンを使っていますか？　効率がよいのは、どちらなのでしょうか？

まず、速度について考えてみましょう。ある程度パソコンの使用経験があれば、書くよりも速くタイプすることができます。この利点はとても大きなものに思えます。しかし、速くタイプできると、聴いたことすべてを記録しようとしてしまいます。まさにそのことを明らかにした実験があります。

実験では、ノートパソコンでノートをとる人は、手書きの人に比べ、**先生の言ったどんなささいなことも一言一句記録する傾向が強い**ことがわかりました。

ただ、他の研究でそうした影響は指摘されておらず、どれだけ一般性があるのかはわかりません。授業内容をどれだけ多くノートにとれるかに強い関心があり、さらに、一言一句記録する誘惑に抗えるのであれば、手書きよりもノートパソコンにメリットがあるでしょうね。

しかし、まだ「**注意散漫になる**」**というデメリット**は残ります。ノートパソコンを開いたら、メールやSNS、ショッピングサイトなどの誘惑が待ち構えています。

それに、ある人がノートパソコンを使っていると、まわりの人の気が散ってしまうという問題もあります。周辺視野で動くものをとらえると、脳が勝手に反応してしまうのです。

しかしこれを、正式な実験で問題だと実証するのは、なかなか難しい。ある研究で、学生に（ノートをとるように言って）映像授業を視聴させたところ、**前方にネットサーフィンをする人がいると注意が散漫になることがわかっています**。

この研究はメディアで大きく取り上げられたものの、他の研究ではこうした影響があることを確認できておらず、どれだけ大きな問題なのかは不明なままです。

これまで、ノートパソコンを使ってノートをとることの是非を、対象を絞って説明してきました。いわばミクロの視点でみてきたわけですが、悪影響があるのかないのか、どうもはっきりしません。

ならば、ノートパソコンでノートをとっている人数と手書きでノートをとっている人数を単純に比較したほうが、わかりやすくてよいのでは？

１つ考えられるのは、大学の最終学年の学生を対象にノートパソコン派と手書き派を比較する実態研究です。しかし、これも完璧な手法とは言えません。ノートパソコンを選ぶ学生は、総じていい成績をとろうという意識が低いかもしれませんし、気が散りやすい人ほどノートパソコンを好んで使っているかもしれません。絶対こうである、とは言い切れないのです。

結論。速度が肝心な、**大量の事実が羅列される授業でないかぎり、手書きでノートをとるのがベター**です。**速度が勝負であれば、ノートパソコンを使ってもよいです**が、Ｗｉ－Ｆｉは無効にしておきましょう。

ポイント

研究では、授業中にノートパソコンを使用することの是非に決着はついていない。ただ、インターネットがあると注意散漫になるため、たいていの場合は手書きでノートをとるのがよい。

脳に効く方法
8
後で読んでも意味が通るか

昔、私が友人とハイキングに出かけたときのことです。大学生だった私は卒業論文の出だしを思いついたので、その場でメモ帳になぐり書きしました。後で見返すと、メモ帳にはこう書かれていました。「指人形のことを忘れるな」

それから数日間、卒論と指人形にどんな関連があるのかを考えましたが、ついにわかることはありませんでした……。あまりに短すぎて意味が通らなかったのです。

ノートは簡潔さとわかりやすさをバランスよく兼ね備えていることが重要。

教師が質問はないかと尋ねたタイミングで、「**自分のノートは後で読んでも意味が通るかな？**」とチェックしておきましょう。

質問の時間は授業を理解できているかを確認するよいタイミングです。教えてもらった事実がどのように関連しあうのか構成を組み立て、ポイントになっているかを確かめましょう。ここでノートもチェックし、わからないところがないかを確認するのです。最低でも、まとまりのない考えや意味のわからない略語、何を表すのか不明なグラフなどがないかはチェックしましょう。

くり返しになりますが、聴いて学ぶときにはやるべきことが2つあります。それは「聴きながら理解すること」と、「ノートをとって後で記憶を呼び起こせるようにすること」です。教師が授業中に気にかけるのは、前者のみであることが多いです。「質問はありますか?」というのは「理解できていますか?」という意味です。「ノートの具合はどう?」とは聞かれなくとも、ノートは確認すること。

また、次に急ぎの予定がないのなら、授業の終わりに数分かけて、自分のノートを見直す時間をとりましょう。授業のすぐ後は、まだ内容が頭の中に新鮮な状態で残っています。もし質問したいことが出てきたら、先生がまだ教室にいて答えてくれるかもしれません。

ポイント　ノートは書きながら評価をし、後で自分が見て意味が通じるかを確認。

脳に効く方法

9 ノート"術"に頼らない

ノート術が役立つかどうかについては、いくつか実験が行われています。それによると、ノート術を使った高校生や大学生は、ノートのとり方がよくなり、成績も向上しています。それがマインドマップであっても、コーネル・メソッドやチャート・メソッドなど他のノート術であっても同様です。

どのノート術がより効果的かは、きちんと検証されていません。というのも、こうした実験でノート術どうしを比較することがほぼないからです。検証されるのはむしろ、ノートのとり方を何も知らないときと比較して、よくなったかどうかです。結果からわかるのは、多くの人が非常にまずいノートのとり方をしていたため、プロセスについて深く考えさせるものなら、どんな方法でもたいていは役に立つということではないでしょうか。

私はノート術は割に合わないと思っているので、使うのはおすすめしません。ノート術を使うのは、精神的に負荷がかかっているときに、さらに一つ考えるべきことを増やすだけです。

むしろ、自分が慣れている方法でノートをとるべきです。そうすれば、ノートのとり方に頭を使わなくてすみ、その分、授業を理解することに注意を向けられます。文として整っていなかったり字が崩れていたりしても、自分が理解できるならばＯＫ。自分にとって違和感のない必要最低限のフォーマットを使うようにしましょう。

ただ、１ページおきにノートをとる、つまり空白のページを１ページおきにはさむことをおすすめします。空白のページは、必要に応じて書き加えたり再構成したりするのに使います（４章で詳しく説明します）。

また、一般的に左から右へと書き進めますので、最初は開いた状態の左側に書いていくとよいでしょう。最初に左側ばかりが埋まりますが、やっているうちに慣れてきます。ささいなことですが、参考にしてみてください。

ポイント

ノートをとるのに特別なフォーマットは必要なし。ただし、１ページおきにノートを書いて、後で編集する余白を残しておく。

脳に効く方法

10

"略語"を使いこなす

ノートは速度が重要。そんなとき、略語も駆使しましょう（57ページ参照）。

ただ、略語は書くスピードを上げてくれますが、効果に研究の裏づけがあるわけではありません。他に気に入ったものや自分でつくったものがあれば、そちらを使ってください。

また、SNSでなじみのあるものを使ってもよいでしょう。なお、大量の略語を覚えようとするのはおすすめしません。覚えるのが苦痛になってしまい、逆効果です。1週間に1つか2つずつ覚え、自分にとって無理のない範囲に留めましょう。

また、よく使う用語があれば、それを1文字で略してみましょう。たとえば、Sは心理学の授業では「被験者（subject）」、教育学の授業では「学生（student）」、化学の授業では「硫黄（sulfur）」を表すのに用いられます。

また、古代文明についての授業で紀元前3000年の「メソポタミア文明」につい

略語を使って速度を上げる！

- イコール、同等、同じ：＝
- ほぼ同じ：≈
- 同じではない、違う：≠
- 〜を上回る、〜より大きい：>
- 〜を下回る、〜より小さい：<
- 増加、成長、改善：↗
- 減少、縮小、悪化：↘
- 〜へ至る、〜を引き起こす：→
- 変化：Δ
- 再び、繰り返し：↻
- 1つ（1人）もない、〜でない：∅
- および：&
- 番号（〜番）：#
- 例：ex

て学ぶことがあるかもしれません。メソポタミアは、「M」で代用できます。

ときには、先生が言ったことをそのまま記録することが重要になることがあります。頭の中にある長い文を書き出そうとして、最初のほうを書いているうちに終わりのほうを忘れてしまいがちです。こういう場合は、書きたい言葉の最初の1文字だけを書いておいてスペースをとっておき、後でそれを埋めるようにするとうまくいくかもしれません。1つの手法として覚えておいてください。

では、図やグラフはどうでしょうか。複雑で、描き写すのにも時間がかかりそうです。ノートに図を写す必要がある場

板書の例

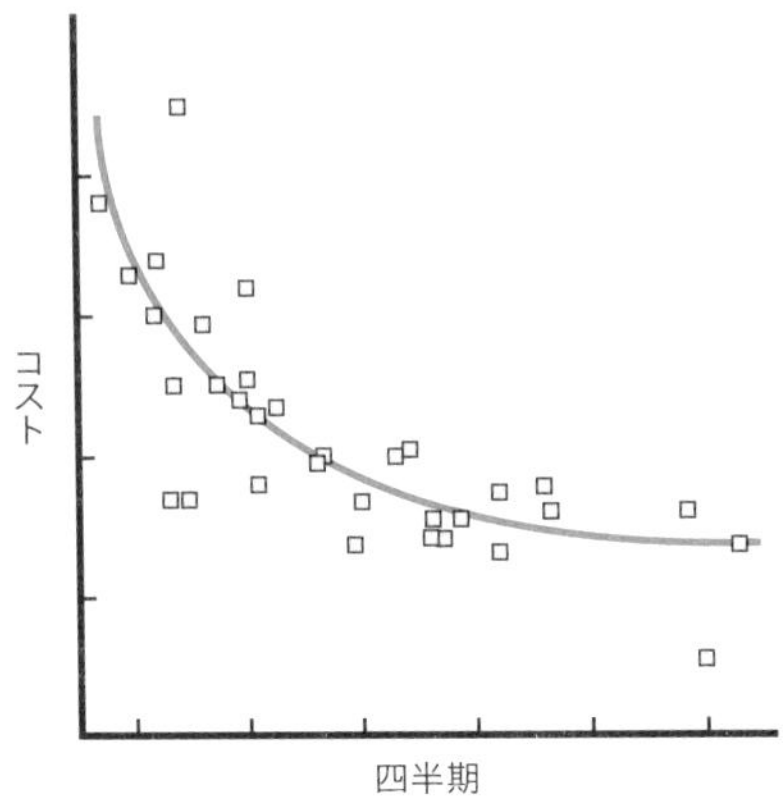

合は、その図の要点がどこにあるのかを確認し、言葉で結論を書くようにしましょう。上の図を見てください。

教師はこの図を見せることで、次のいずれかのポイント（あるいは他のポイント）を伝えようとしているのかもしれません。

①この会社はコストの削減がすごくうまくいっている

②この会社は最初、コストの削減がうまくいったものの、削減のスピードが低下している

③この会社は今後、おそらくコストの削減を期待できないため、利益を増やす他の方法を探らねばならない

使いやすい略語の例

- ここで何かを聴き逃した：?
- わけがわからない／肝心なところを聞き逃した：??
- これは理解できるけれど、何につながっていくのかがわからない：→?
- こうは書いたけれど、正しいかはわからない：OK?
- 主な結論／重要：※
- これは教師ではなく、自分の考え：自
- 教師の言葉をそのまま書いている：教
- これは脱線だと思う：脱

結論がはっきりとわかれば、グラフを単純化して描くことができます。また、軸全体にラベルが必要か、一部だけでよいかもわかるはずです。たとえば、コストが６００万ドル低下したことを教師が強調したのであれば、その低下した範囲をカッコで囲み、「６００万ドル」というラベルをつけます。２００８年の景気後退時にコスト削減のスピードが低下したことが強調された場合は、横軸の該当する部分にマークをつければよいのです。

ちまたのノート術を利用することはおすすめしないと言いましたが、**ノートに「注」をつけておくことは、後で再構成**

するときに役立つのでおすすめです。

59ページの例は、余白を使ってつけておくとよい「注」の案です。省略記号とあわせていくつか紹介しておくので参考にしてください。

ポイント 自分だけの略語を使って、ノートの負担を減らそう。

脳に効く方法

11

「録音・録画」に頼らない

先生の中には、話す内容をまとめた資料やスライド資料を配る人もいます。しかし、配布された資料をいつでも確認できるとなると、授業への注意が低くなる危険性があります。

では、後に授業を撮影した動画を観られる場合や、許可をもらって自分で録音した場合はどうでしょうか。

録画や録音をしておき、後でノートを補おうと思っても、たぶんそうはしないでしょう。**記録した動画や音声を視聴するのは、もう一度授業を受けるのと同じだけ時間を費やすことになるからです。**

むしろ、クラスメイト（または教師である私）に説明を受けたほうがはるかに簡単だと後で気づくのです。

授業の関連する箇所を録音で探すのは大変ですし、それに改めて聴いても、やっぱりわからないことのほうが多いもの。むしろ必要なのは、違った角度からの説明、例、類推なのです。

一番の問題は、**録音や録画があると、他のことで忙しいときに授業をサボりたくなること。**ここ10年の間に、教師から対面で学ぶのと動画から学ぶのとではどちらが効果的かを比較した研究が数多く行われました。不十分な研究が多いものの、その成果からわかるのは**対面の授業のほうに軍配が上がる**ということです。

もちろんプラットフォームによっては、質問も可能ですし、他の人の質問とその回答も見ることができます。しかし、そこにアクセスするのが面倒だったり、誰かが質問しても先生になかなか回答する暇がなかったりします。

要するに、授業を録音や録画したものは緊急時のバックアップ（もしくは保険）くらいに考えておいたほうがよいでしょう。

ポイント　ノートをちゃんととらなくても録音や録画があれば大丈夫、と思っているなら要注意。録音や録画は思っているほど使えない。

第3章

実習から学ぶ

教室での授業で何を学ぶべきかは、はっきりしています。授業とは、事実や何かのやり方など情報を伝えるものだからです。しかし、実習や課外授業の目的はさまざま。何を学ぶかによって違った対策をとる必要があります。

まずは、実習（Learning activities）が持つ3つの主要な目的について考えてみましょう。

第一に、手順──何かをうまく行う方法を教えること。

古代ギリシャの哲学者アリストテレスが「人は建築することによって建築家になり、竪琴（リラ）を奏でることによって竪琴奏者になる」と述べたのは、これを念頭においてのことです。

第二に、経験を積むために行うこと。

実際にやってみることは、物事を覚える最高の方法であり、時に唯一の方法だからです。

最後に、言葉で説明しにくいことを学習する場合には、やってみることが理解の助けになるから。

たとえば、小学生に円について教えるとき、先生が運動場に彼らを線状に並ばせ、片方の端にいる子を「原点」として、並んだ子らを同心円状に歩かせるとします。原点に近い子はほんの少し歩くだけなのに、原点から離れた子は早足になるか、走らなければなりません。つまり、半径が長くなるにつれ、円周も長くなることが実感できます。

こうして子どもたちは円周を求める公式（$2\pi r$）を覚えられるだけでなく、この公式が機能する理由について深く理解することができます。

ただ、なぜこの実習を行うのか、行動の目的を学生がはっきりとわかっていないといけません。

参加する際には、**何を学ぼうとしているのかを理解していることだけでなく、注意を向けるべき対象をわかっているかどうかも大切**です。やっていることに集中していなければ当然、学ぶことはできません。

たとえ集中していたとしても、物事のすべての側面に注意を向けることはできないものです。そのため、後になっても覚えているのは自分が注意を向けた部分だけになってしまいます。例を挙げて考えてみましょう。

自宅の隣に新しく家族が引っ越してきたとします。「歓迎の思いを込めて、お隣さんに何かを贈ろう」と私は思います。そこで、おいしいコーヒー豆を贈ることにした私は、仕事から帰宅する途中にそれを買うことにします。その日の夕方、車でスーパーの近くを通りかかります。「スーパーで何か買うものあったかな？」と私は考えるものの、何もないという結論に至り、そのまま車を走らせます。自宅近くの通りに入ると、そのお隣さんが家の外にいるのが目に入ります。すぐさま私は「しまった！コーヒー豆を忘れていた！」と思い出します。

隣人を見ると思い出したのに、スーパーを見てもそうならなかったのはなぜでしょうか。この種のことが起こりうるのは、**記憶の「探し方」と記憶の「収納法」に食い違いがある**場合です。

コーヒー豆のような常備食品を切らすと、私はそれを不足と考えます。家に常備しておく食品リストがあって、不足したら補充しなくてはと心の中でメモをとります。スーパーを通りかかったとき、「不足している食品はないか」と自問したのですが、私の中でコーヒー豆は「補充すべき食品」ではなく、「隣人への贈り物」だととらえていたため思い出せませんでした。

物事についてどう考えるかによって、何を思い出せるかが大きく変わってきます。

椅子について考えていたのなら、後で椅子について考えたことを思い出せる――ごく当たり前のことのように思えますが、必ずしも当たり前ではないのです。椅子は、座るためのものととらえることもできれば、木材を継ぎ合わせた木工品ととらえることもできます。どのように考えるかが、後に何を思い出すかを決めるのです。私はこれを「記憶は思考の残りかすである」と説明しています。

この原理をよくよく頭に入れておきましょう。そして、これまでみてきたように、注意を向けた特徴は思い出せますが、それ以外は思い出せないもの。したがって、実習を通じて学ぶときにも、注意を向けるべき正しい特徴を選ぶことがきわめて大切になります。

何かをやってみて学ぶ際に望ましいのは、教師が「皆さんにはこういうことをやってもらいます。それで、これをやっているときに気づいてもらいたいのは……」とちゃんと説明すること。

ただ、先生はそうした説明が役に立つとわかっていないことが多く、あまりやりません。自分が知っていると、他の人がそれを簡単に理解できないことが、なかなか想像できないのです。これを一般に「知識の呪い」といいます。

ジェスチャーゲームをしたことがある人なら経験があるのではないでしょうか。たとえば、食事をつくるジェスチャーをしたときに、間違いようがないと思っていると、他の人には手術をしているジェスチャーに見えているかもしれない――とまでは思い至らないのです。

実習を通して学ぶとき

✕ **脳がやりがちなこと** 注意を向けたものが記憶に残り、注意を向けなかったものは記憶に残らない。何かをやって学ぶとき、注意を向ける対象が1つにしぼられない。

○ **脳をフルに活かすと** 行動する前になるべく見通しを立て、何に注意を向けるかを決めておく。

脳に効く方法

12 意識的に参加する

実習から学ぶというからには、ちゃんと参加する必要があります。ギターの個人レッスンを受けるのであれば、自分が何かをしないことには始まりません。求められた準備や予習は行いましょう。事前に何かを読んでくる、何かを持ってくる、何かを試してみる、一度やったことを練習する——いずれも求められたら、やってください。指示を守らないと十分に準備ができなくなるというだけでなく、実習中に気まずい思いをしたり、気が引けてしまったりするかもしれません。

とはいえ、そんなことは「よくわかってるよ」と思うかもしれません。それと同じくらい重要なのにさほど意識されていないのは、記憶にも影響が及ぶ点です。つまり、ちゃんと参加しないと、理解する機会を逃すだけでなく、自分のノートをとるチャンスも逃すことになるのです。

「参加する」というのは「注意散漫にならず、途中退席しなくてすむようにする」ということでもあります。メガネが必要なら、忘れず持っていきましょう。予備のペンを用意しましょう。ノートパソコンは充電しておきましょう。お腹を空かせてこないようにしましょう。冷え症であれば、セーターを持っていきましょう。トイレはすませておきましょう。喫煙する人は、途中で吸いたくなりそうなら、始まる前に1本吸っておきましょう。電話やメールのために場を離れることのないようにしましょう。

ポイント　実習はよい息抜きになるが、勉強のためだということを忘れないで。ちゃんと準備して参加し、集中して取り組もう。

脳に効く方法

13

シナリオ（手順）で学ぶ

シナリオ（手順）は何のために必要なのでしょうか。

1つには、学習をより記憶しやすくするためです。たとえば、マニュアルを覚えることで新しいシステムについて学ぶことができます。これは「記憶は思考の残りかすである」ことを表す例で、複雑なしくみを覚えるには、実際と同じ手順でやってみるのが一番なのです。

科学の実験でも同じことが当てはまると思います。実験では、電位差計の使い方や細菌の培養法のように、技術や方法を学ぶことが目的の一部になっています。本で読むのもいいですが、やってみたほうが早く学べるでしょう。

では、シナリオのある実習を通して学ぶとき、しっかり記憶に定着させるにはどうすればよいでしょうか？

まず、ありがちな思考の落とし穴にはまらないこと。その最たるものは、実習の

「プロセス」ではなく「結果」にばかりとらわれてしまうことです。

たしかに、シナリオを渡されたら、いい結果を出せたのは、シナリオに従ったからだと考えるのはわかります。正しくシナリオに従えば、求められる結果が得られるのですから。

もしユーチューブの解説動画を観ながら食洗機を直そうとしているのなら、結果を優先するのは正しいと言えるでしょう。しかし、生物学の実験でカエルの解剖を行う真の目的は、解剖そのものではなく、解剖から学ぶことにあります。したがって、**大切なのはプロセス**です。

もう1つの落とし穴は、ほとんど自分の頭で考えようとしないことです。実習のシナリオ（手順）が渡されたら指示どおりにやるものの、**「なぜそれを行っているのか」**とは考えないことです。

この場合、何を意識すべきなのでしょうか？　実習を行う主な目的は、①身体的な訓練が必要な技術を学ぶこと、または、②科学的方法のような高度の思考法に取り組むことのいずれかです。

この2つの目的は明らかに違うので（1つ目で重視されるのは具体的な内容ですが、2つ目は大局的な考え方です）、自分がその活動から何を得ようとしているのかを知ることが重要です。

ここでもまず、先生に尋ねることです（もし「両方だ」と言われたら、その先生は未熟な教師でしょうね。複雑なことを2つ同時に考えることはできません）。

先生が説明してくれなかったら、シナリオからヒントが得られるかもしれません。もし手順が詳細に書かれていたら、それは技術を学ぶ実習です。もしさまざまなタスクに関わる質問や指示が書かれていたら、それは大局的な考え方を身につける実習です。いずれであっても、集中して取り組んでください。

ポイント

手順が書かれた説明資料を渡されたら、その手順じたいをうまく行う方法か、または手順で説明される非常に高度で抽象的な内容のいずれかを学ぶことになる
——どちらであるかを見極めよう。

脳に効く方法

14

課題はじっくり選ぶ

大学での学びというのは時に、「正解が1つでない問題に、答えを出すこと」を意味します。

私が言わんとしているのは、30分かけて答案用紙に書き込むような問題ではありませんよ。いわゆる「プロジェクト」のことを指しています。

一般的に、数週間かけて具体的な成果を出すべく取り組む課題です。たとえば、会計学の講座では終了が近づくと、「町で小さな企業を見つけ、在庫管理や、納税、給与支払いのシステムの立ち上げを手助けする」といったプロジェクトが課されることがあります。ここでは、こうしたプロジェクトへの取り組みを最大限活かすためにどうすればよいかについて、3つの提案をします。

第一に、**プロジェクトは、「どのような成果を得たいか」ではなく、「何を学びたいか」にもとづいて選びましょう。**

学習の目標について考える際には、従来の学問的な知識や能力にこだわる必要はありません（もちろん、この点については先生に相談してください）。

たとえば、上手な時間管理の方法を学びたいと思うなら、しょっちゅう予定が入り、スケジュールの融通が利きづらいプロジェクトを選んだほうがいいでしょう（例：複雑な水辺の環境をつくり、管理する）。

第二に、プロジェクトが半ばまできたら、他の人から意見をもらうようにしてください。課題がうまくいっているかどうかは自分でも判断できるかもしれませんが、なぜそうなっているのかは、自分ではなかなかわからないものです。

途中で意見を求めることなく、最後まで1人で課題を終わらせて提出するのがよいことだと思っている人が、学生の中にもかなり多くいます。

しかし、**先生はもちろん、アドバイスをくれそうな人から積極的に意見をもらうべきです**。また、他の人の意見を活用するためにも、課題は計画どおりに進めましょう。

第三に、プロジェクトが終わったら、自分の考えをまとめて考察しましょう。その際、自分が立てた学習目標に照らし合わせましょう。望んだことを学べましたか？　思ってもみなかった学びはありましたか？　考察するときは、なるべくメモに書いていくようにしてください。

ポイント

プロジェクトは、どのような成果を得たいかではなく、何を学びたいかに基づいて選ぶこと。また、途中で他の人から意見をもらい、終わった後にはプロセスを考察する時間を取ろう。

脳に効く方法

15

「経験する」と「練習する」

何かをやることが学習の対象だと、聴いたり読んだりするだけでは不十分で、実際にやってみないことには学べません。運動競技や楽器の演奏などはわかりやすい例ですが、他にも次のような場合が当てはまります。

・わかりやすく書く
・人づき合いをする
・チームのよき一員となる
・スピーチをする
・グループのリーダーになる

こうしたスキルを身につけるには、細々とした多くのプロセスをクリアしなければならないため、習得には何年もかかります。脳に効く方法13で取り上げた、数時間で覚えられるようなスキル（例：簡単な機材の操作や血圧の測定）とは対照的です。

　しかし、私はここ何十年もの間に、車の運転やケーキを焼くこと、タイピングなどさまざまなことをやり続けていますが、どれもいっこうにうまくなりません。やり続けても効果がないのはなぜでしょう？

　答えは簡単です。**「経験と練習は同じではないから」**です。

　何のための活動かによって、その活動中に意識することは変わってきますし、活動を通して学びを得られるかどうかも変わります。私が車を運転するのは目的の場所へたどり着くためですし、私の友人がギターを弾くのは友人を楽しませるためです。しかし、こうした目的によって複合的なスキルが改善することはありません。

　私は、ケーキを焼くときに、うまく焼けるようになろうとはしていません。それは、現状のケーキで十分満足しているからであり、うまくなろうという意識がないのもそのためです。そして、もうおわかりのとおり、**学びを得るには「何を意識するかが非常に重要」**なのです。

　心理学者は次のように具体的な指針にまとめています。

1 小さいステップから始める

スキルの改善は小さな要素ごとに集中して取り組む必要があります。一度にすべてに意識を向けることはできません。

たとえば、「うまく書く」練習はできないけれど、「明快な言葉を選ぶ」ことや「文の構造を変える」ことなら1つずつ練習できるということです。

2 順番に進める

スキルのどの要素に取り組むかは、どうやって選べばいいでしょうか？　スキルによってはお決まりの順番があります。ピアノ演奏を習得するなら、まず音階や拍子記号を覚えるところから始めるでしょう。決まった順番がなければ、初歩的なこと、かつ自分がうまくできないところから。その要素がうまくできるようになったら、またできないところを探して取り組みましょう。

3 「上手な人」に聞いてみる

自分が苦手なところにはどうすれば気づけるでしょうか？　どこが苦手かはよくわかっているかもしれませんが、なぜ苦手なのかはわからないこともあるのでは？

そういうときは、人の意見が非常に重要になります。その際、自分の結果に対してのみ意見をもらうのではなく、どうして、よくない結果になっているのかについても聞くようにしましょう。**できれば自分よりスキルが上の人に観察してもらい、何が悪いのかを指摘してもらう**のがよいでしょう。

4 やり方を変える

人から意見をもらって「うん、たしかにちょっと下手だね」と確認するだけでは不十分。新しいやり方を編み出して、試してみる必要があります。

レポートを書いていて同じ言葉をくり返し使っていることに自分で気づいたら、類語辞典を引っ張り出して別の言葉を選ぶことがありますね。しかし、代わりに選んだ言葉が「そういう言い方はしない／ズレている」と人から言われたらどうでしょうか。言葉の選択を改善するためにとっていた対策がうまくいかないのなら、他のやり方を試すほかありません。

5 集中する

自分がやっていることに集中しましょう。目的を持って練習することと、ただやることの違いはここにあります。

人は経験を積めば、大して努力せずに物事を行えるようになります。何回も行っているうちに、プロセスについてほとんど意識しなくなるでしょう。

一方、練習をするときは、スキルの一要素に意識を集中させ、新しいやり方を試し、結果をつぶさに観察します。練習は精神的負荷が大きいもの。**もし練習をしていて疲れないのなら、やり方が間違っていると考えてください。**

6 長い目でみる

総合的なスキルを習得するには長い時間がかかります。どれだけ練習が必要になるかは、どのスキルに取り組むか、練習をどれだけ効率的に行えるかによって変わってくるでしょう。いずれにせよ、**週や時間ではなく、年単位で考える**必要があります。

ポイント

活動の目的がパフォーマンスを改善することにあるのなら、単に活動をくり返すだけでは十分ではない。改善には計画的な練習が必要。

脳に効く方法

16

「何を観察するか」決める

課題の内容が「自分の経験したことを2ページのレポート用紙に説明してください」というように、あいまいなこともよくあります。

その場合は事前に、次のような質問に沿って自分の考えを書き留めておくとよいでしょう。

どんな人や物に出会いたいか？　訪問する場所はどこと比較するのがよいか？　その場所に、また戻ってきたいと思うか？　訪問先にはどんな人たちがいて、何をしていると思うか？

人、場所、物など――観察する対象をあらかじめしぼっておけば、書きやすくなりますし、事前に予想したことと実際に経験したことを比較して書いてもよいでしょう。

そして、ノートをとっておきましょう――できれば活動中に、または活動のすぐ後に。**ノートをとると集中力が高まりますし、学んでいることを言語化できます。**

実習中に学んだことや、書いておくように言われた内容はテストに出る可能性も高いため、あとあと思い出せるようにします。

先生はそれぞれ違った目的のために学習活動を選択しており、その目的によって実習中、何に注意を向ければいいかがわかるのでしたね。実習中はとにかく時間がありませんから、ページの一番上に実習の目的を書いておくとよいでしょう。そうすれば実習中、何に意識を向ければいいか覚えておくことができます。

また、ノートをとり忘れがちな人は、スマホのアラームを10分か15分ごとに設定し、思い出せる工夫を。

ポイント

実習中にノートはとりづらいし、とる必要もないのでは、と思うかもしれないが、それでもノートはとるべき。実習中が難しければ、その直後にとるようにする。忘れるのを防止するために。

脳に効く方法

17

先生の視点に立つ

授業が円滑に進めば、学生はより多くのことを学べますが、学生にも授業の進行をスムーズにするためにできることがあります（授業に集中するとか、実習にまじめに取り組むのは当然ですよ）。

第一に、学生がやるべきことをやっているかを先生がずっと気にしていても、悪く思わないでください。信用されてないように思うかもしれませんが、ただ不安なだけなのです。先生としては、実習がうまくいってほしいと思っていますが、学生がまじめに取り組んでいるかどうかがわかりづらいのが事実です。

第二に、先生が実習の目的を伝え忘れたときは、できるだけ丁寧に尋ねてください。**大事なのは〝言い方〟**です！

たとえば、「これは何のためにやるんです？」だとケンカ腰に聞こえますが、「この実習で特に意識すべきことは何ですか？」などと聞いてみてください。

第三に、「自分はわかっていないのではないか？」と思うときは、正直に先生に伝えてください。できるだけ簡潔に言うようにしましょう。つまり、

① 自分が何をしているか（あなたが何をやろうとしているのかがわかります）と

② それが何を意味すると思うか（あなたが何を考えているのかがわかります）

を伝えればよいのです。

「Xをして、Yをしたら、こういうことになりました。なので、それらすべてを踏まえると、こういうことになるはずですが……」という具合に言えば問題ありません。

要は、**「わかりません」としか言わないのはやめてほしい**ということです。あなたが理解しているかどうかを、先生に判断させてください。

学生からこうして意見をもらえると、先生側にはとてもためになります。たくさんの人が理解していないとわかれば、指示をもっとわかりやすくするか、あるいは今からやることを取り下げて別のことを試すなど、何かしら対応ができるからです。

ポイント　実は先生だって不安を感じている。実習の進み具合や、先生に手伝ってほしいことなどを意見として伝えることで、学生も実習の進行を助けることができる。

第4章

ノートを工夫する

授業を理解するには構成をきちんと把握することがとても重要、ということを1章で説明しました。それを踏まえれば、ノートを見直すべきなのは明らかでしょう。他にも、構成をきちんと把握できれば、内容を記憶しやすくなるのです。

全体の構成を把握することの重要性は、古典的な実験でも実証されています。この実験では、被験者グループに26個の言葉をみせて覚えさせました。その際、被験者の半分には左の図のように樹形図を使い、言葉を論理的に構成してみせました。

もう半分の被験者にも同じ言葉を樹形図上に並べてみせましたが、言葉の配置をランダムにして構成が意味を持たないようにしました。

被験者全員に、ここにある言葉を覚えるように言い、構成は気にしなくていいことを伝えました。

それでも、きちんと構成されたものをみた被験者は65パーセントの言葉を覚えていました。それに対し、きちんと構成されていないものをみた被験者は18パーセントしか覚えていませんでした。

このように、**構成があると、細々としたものでも、間につながりができるのです。**

別の例もみてください。次に挙げる言葉を覚えてみましょう。

構成をつかんで覚える

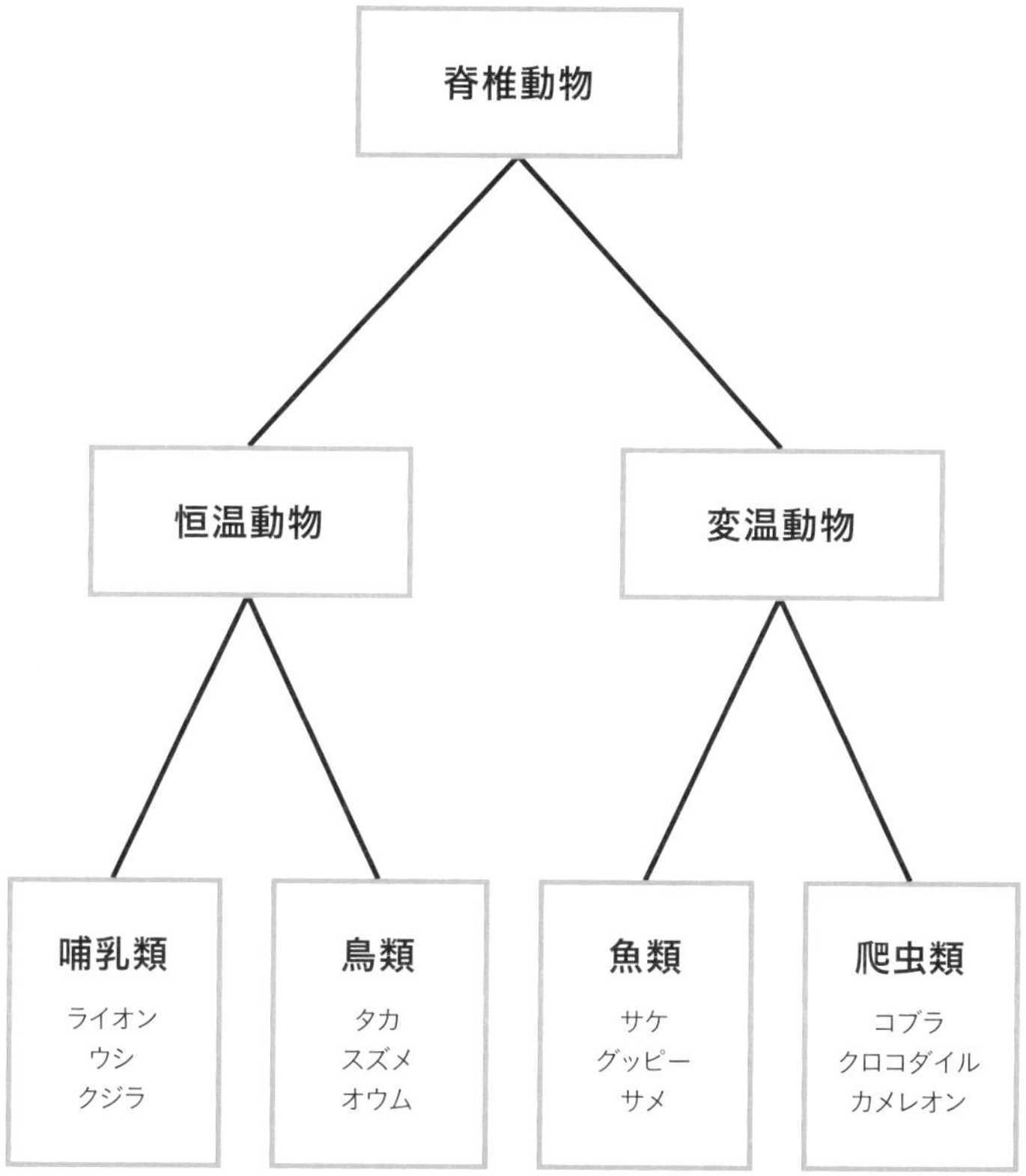
脊椎動物
恒温動物
変温動物
哺乳類
ライオン
ウシ
クジラ
鳥類
タカ
スズメ
オウム
魚類
サケ
グッピー
サメ
爬虫類
コブラ
クロコダイル
カメレオン

リンゴ（Apple）、クマ（Bears）、イヌ（Dogs）、最初（First）、葉（Leaves）、雄（Male）、次（Next）、電話（Phone）、パイロット（Pilots）、いぶす（Smoke）

この場合、たとえ意味をなさなくても1つの文にしてしまえば、覚えるのが格段にやさしくなります。

「最初に、イヌがリンゴの葉をいぶし、次に、パイロットが雄のクマに電話する」
(First, dogs smoke apple leaves; next, pilots phone male bears.)

「パイロット」という言葉を1つ思い出せれば、それがヒントになり、パイロットがすることは電話、電話をかける相手はクマ、というように芋づる式に次の言葉を思い出すことができます。

ノートも授業後にそうやって再構成すればいいのでは？　しかし、誰もやっていないのはなぜでしょうか？

1つ考えられるのは、進化によって注意を向けるべき対象にバイアスを持つようになったこと。脳は、見慣れた物事は安全――つまり、過去に危険ではなかったから、今後も危険性は低いだろうと考えるからです。

つまり、私たちは見慣れた物事に注意を向ける必要はないと考え、「はいはい、全部知ってますよ」とばかりに新しい情報を探してしまいますが、学習のためにはそうした脳の指示を無視しなくてはなりません。

ノートを再構成するとき

✕ **脳がやりがちなこと**　ノートの内容は見覚えのあるものだから、見直しや再構成をしても意味がないと判断する。

○ 脳をフルに活かすと　脳の指令を無視して、書かれた情報も構成も不完全だと考える。

脳に効く方法

18

情報につながりをつくる

授業では、関連のある情報（BはAによって引き起こされた、BはAの一例である）が時間をおいて示されることや、注意して耳を傾けていても大事なつながりを聞き逃してしまうことはすでに説明しました。

しかし、そうした構成を確実に把握するにはどうすればよいでしょうか。

一番いいのは、**授業全体の論理的な構成を自分でつくり直してみる**ことです。

たいてい、授業は階層状になっていて、主な「**メインポイント**」（1つ）と「**その下位にあるサブポイント**」（3〜7つ）、および「**各ポイントを裏づける根拠**」から成り立っています。

たとえば、「19世紀末期に現れたアメリカ西部の神話」がテーマの授業。

このテーマには主に3つの要点があり、それぞれが当時のアメリカ東部の人々が抱いていた次の3つの誤った考えに対応しています。

■西部は外国とみなされていた（実際には東部とさまざまな形で接触があり、商業上のつながりもあった）

■西部には主に白人が住んでいると思われていた（実際には多種多様な移民がいた）

■西部は、屈強な者たちが都市や電気、産業の助けを借りずにつくったと考えられていた（実際には、都市、電気、産業のすべてが西部の変化に大きな役割を果たした）

それぞれの要点に例があり、他の授業や説明などから得られた結論への参照がありますから、構成について考えを巡らすだけでなく、樹形図を描いてみましょう。

ノートに四角を描き（パソコンの場合はテキストボックスを使い）、その中に「19世紀末期に現れたアメリカ西部の神話」と書きます。これがメインポイントですね。

そして、1文を書き込んだボックスどうしを線でつなぎます。

たとえば、「西部には主に白人が住んでいると思われていた」という文は、この授業の全体的なテーマにおいて1つのサブポイントになるため「19世紀末期に現れたアメリカ西部の神話」というボックスにつなげます。

ボックスと線を組み立てて階層を見出そうとするときに、考えてほしいことが2つあります。

1つ目は、ボックス内の内容はできるだけ具体的にすること。人は新しいことについて学ぶとき、一般的な言い方をしがちになります。そのほうが間違うリスクが小さいというのが理由の1つでしょう。

しかし、たとえば、先ほど例に挙げた授業のテーマは「アメリカ西部」よりもっと具体的でした。

実際、私が学生に論文の概要を書いてくるように言うと、だいたいが出だしを「序論」としてきます。こうやっておけば知的で学問っぽくなると学生は考えるようですが、先生はむしろ、具体的な視点に立って授業を進めていきます。

さて、2つ目に、階層をつくっていくときには、文をつなげる理由を具体的に言えるようにしましょう。ボックスをつなぐ線に次のような言葉を書き入れておきます。


根拠（なぜその事柄が言えるのかは……）

例（たとえば……）

詳細（もっとくわしく言うと……）

要因（それを引き起こしたのは……）

授業で聞いた情報をつないでおく

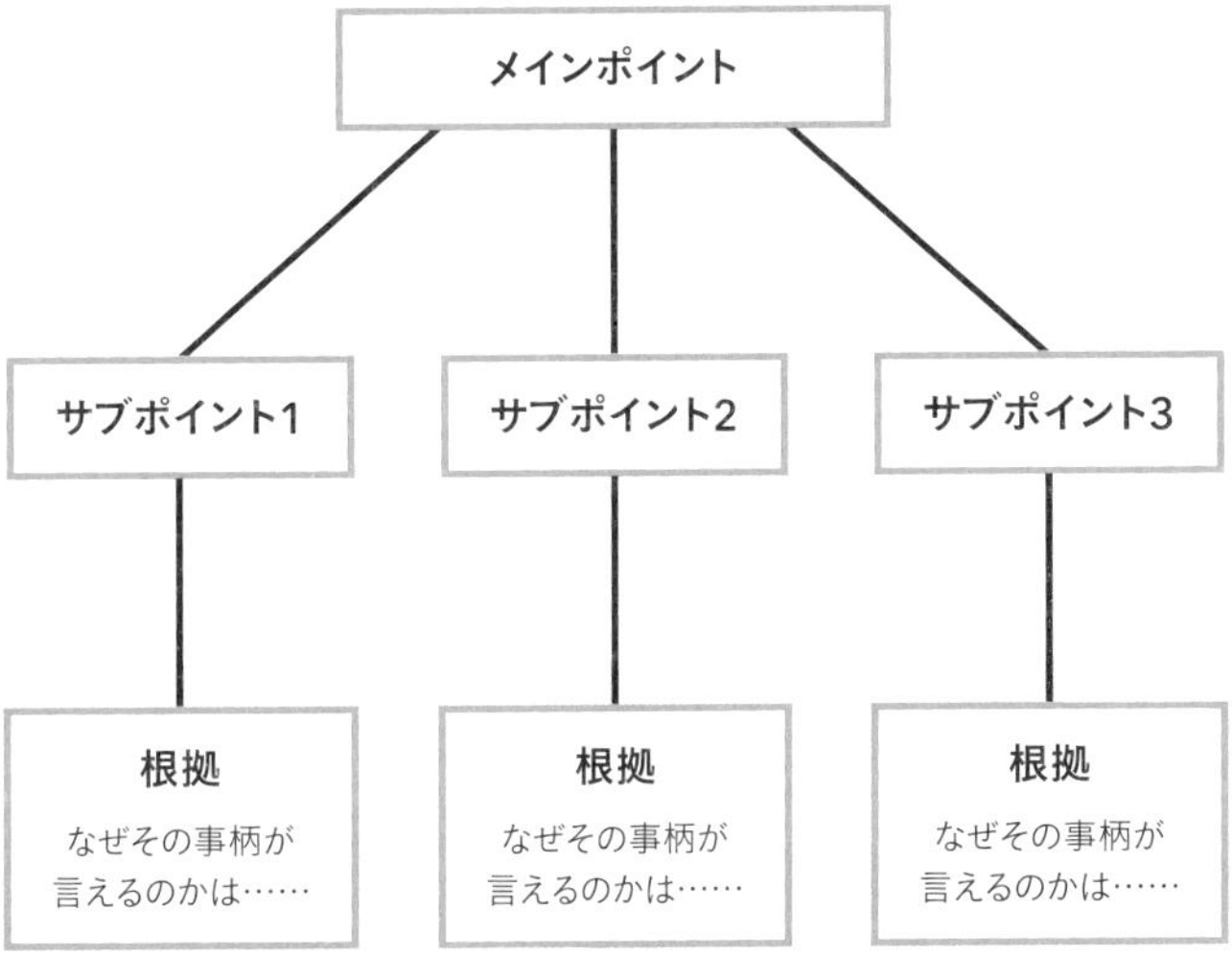

つながりがある事柄を線で結んでいく

他に……

- 例（たとえば……）
- 詳細（もっとくわしく言うと……）
- 要因（それを引き起こしたのは……）
- 含意（等しく言えることは……）

含意（等しく言えることは……）

多くの先生は、授業では新しい話題を取り上げつつ、その一方で課題図書に書かれていることを改めて授業で話そうとします（学生によっては無意味で退屈と感じるかも）。ノートの再構成が終わったら、授業を俯瞰できるので、このときこそ、授業と課題図書とのつながりを検討すべきときなのです。

ポイント

授業中にノートをとりながらその内容の構成を理解しようと努めても、おそらく完全に理解はできない。授業後に樹形図を描いて、講義の要点がどのように互いに関連するかを整理しよう。

脳に効く方法

19 穴を見つける

95ページのように樹形図をつくることで、抜けている情報が明らかになります。ノートにある事実を書き取ったけれども、なぜそれに触れたのかがわからず、他から浮いた脈絡のない情報にみえることもあるかもしれません。たとえば、宗教史の聖書についての授業で、先生が「涸《か》れ谷（ワジ）」がどのように形成されるかという説明とともに、ワジとは何かという話をしました。それを忠実に書き取っても、なぜ先生がそんな話を持ち出したのかは理解できません。

こうした**関連性の聞き漏らし**に加えて、**内容の聞き漏らし**がないかも確認しましょう。ノートに「調査に用いられる5種類の地図」と書いてあったら、4つではなく5つ挙がらないといけないですよね。

また、先生が**一般化をするための裏づけにした数字**も確認しましょう。たとえば、「西ローマ帝国が滅亡した年は、皇帝がいなくなった476年とされることが多いが、これは間違い。文化的、経済的に生きながらえた」とノートに書いていたとします。これだと、476年に滅亡したというのは誤りであるという根拠が1つだけになってしまいます。こうした大事な事柄の裏づけが1つしか書いてなかったら、先生は他の根拠についても話していた可能性が高いということです。

ノートを読みながら気づいた〝疑問〟や〝聞きそびれ〟をふせんに書き、ページからはみ出るように貼ります。

「脳に効く方法9」で、1ページおきにノートをとっておくことを提案しましたね。そこで、当該ページの近くに、ふせんの疑問に対する回答として追加していけばよいのです。

パソコンでノートをとっている場合は、後でこの疑問を簡単に見つけられるようにするため、各質問の後ろには「TK」という文字をつけておきましょう。そうすれば、「TK」でファイルを検索しやすくなります（「TK」は「to come〈後で追加〉」の意）。

では、こうした疑問への回答はどうやって見つければよいでしょうか？　課題図書も1つの情報源ですが、授業では本に書かれていない詳細に触れられている場合もあります。

ふせんを貼った後にすべきなのは、ノートをとっていた他の学生に聞いてみることです。あわせて次の「脳に効く方法20」を読んでください。

ポイント 授業から抽出した構成を使って、ノートに抜けている情報（事実と関連の両方）を見つけ出そう。

脳に効く方法

20

"ノートを改善する"勉強会

そう、ノートは1人でとる必要はありません。勉強会を開き、ノートの構成を他の人のものと比較し（脳に効く方法34を参照）、自分のノートを改善しましょう。

また、事前に見つけておいた自分のノートの抜けを埋めることもできます（脳に効く方法19を参照）。

1回の勉強会で扱うノートの分量はだいたい授業1週間分くらい、勉強会はおおむね週に1回がベスト。頻繁に開こうとすると、予定の調整で苦労しかねません。

勉強会の人数は3～6人がよいと思います。参加者が多すぎると心理学で言うところの「責任の分散」が起こるおそれがあります。**「集団が大きくなると、他の人がやってくれるだろうとみんなが思い、誰もしなくなる」**という現象です。

同じ授業を取っている友人や、もし知っている人がいなかったら、授業で会った人に声をかけてみる。また、学校のネット掲示板に、勉強会に興味のある人を募ってみる。また、先生に頼んで、勉強会に興味のある人は授業後に数分残ってほしいと告知してもらうのも手です。

欠席した授業の「ノートを借りる」ことは授業に出席することの代わりにはなりません。

他人のノートは、その人自身が記憶を呼び起こすためのヒントにすぎないのです。あくまであなた自身のノートをしっかりとることを考えてください。課題を勉強会のメンバーで分担し、他の人がやったものを皆でシェアするのはやめましょう。**自分の負担を減らすために勉強会をするのではなく、自分がよりよく考えられるための会だと考えてください。**

勉強会は、授業の内容を理解し、覚えられるようにする認知的作業なのです。人のつくったノートを利用すると、その分努力をしなくなり、自分でその作業をした場合の精神的なメリットも得られなくなります。

ポイント

勉強会に参加し、またはみずから勉強会を開いてノートの抜けを埋めるのに役立てよう。また、勉強会がうまくいくように微調整を心がけて。

脳に効く方法

21 先生に的確な質問をする

ここまでに挙げたことすべてをやっても、自分ではわからない点が残ることもあるでしょう。そのときは、先生に聞きにいくべきです。

ただ、いざとなるとひるんでしまう学生もいます。どの先生も口では「いつでも質問しにきて」と言うのですが、気難しい先生に質問しなければならないときはどうすればいいのでしょうか。

大切なのは「**準備していくこと**」。

網膜についての講義を45分間やった後に学生が研究室へやってきて、「さっきの網膜のことなんですけど、全然わかりませんでした」と言われたら、先生はどう思うでしょうか。私ならガッカリしてしまいます。学生が理解しようと努力したとは思えないからです。

的をしぼった質問をすれば、自分なりに学ぼうとしていることを示せます。**自分で**

理解できた部分と理解が不足している部分を（簡潔に）伝える準備をしてから聞きにいきましょう。

どうせなら、優等生になって取り入りましょう。びっしり書き込んだノートに、授業内容への質問を書いたふせんを大量に貼りつけて持ち歩きましょう。

あるいは、先生の専門分野で就職のあてがないか、質問をひと通り用意するなど、熱心さをアピールしましょう。

「何のゴマすりか」と疑われる場合もありますが、少なくとも正しい方向に努力はしているわけです。先生は気に入ったからといって成績を上げてはくれませんが、何かトラブルがあって締め切りの延長が必要になった場合や、後で紹介状が必要になった場合、熱心に勉強していたという印象を強く残しておけば有利かもしれません。

ポイント　ノートの抜けを埋めるため先生に質問するのが気後れしてしまう場合は、自分が何を理解しているかを説明できるよう準備してから聞きにいくこと。きちんと準備していけば、先生の心証も確実によくなる。

脳に効く方法

22

「見栄え」はいらない

皆さんがノートを見直すときに一番よくやるのは、飾り立てて見栄えをよくすることではないでしょうか。

ポップな書体や、飾りの罫線、タイトルの吹き出し——こうしたものに注がれるエネルギーと創造力はすごい。しかし、それが学習に役立つかどうかというと——。

認知心理学では、**文章をそのまま写す行為によって理解や記憶が向上することはない**とみています。2章で触れたように、先生の言葉を一言一句違わずに記録しているだけでは浅い理解しか得られないおそれがあります。

自分のノートを書き写すときにも同じことが言えます。**「意味」を考えて言葉を書き直さないと、記憶の役には立ちません。**

脳に効く方法20でおすすめしたノートのまとめと合わせて、ノートをカラフルに飾りたい人もいるかもしれません。こうしたプロセスを楽しんでいる人からしたら、ノートの見栄えをよくしておけば後々、熱心に勉強したくなる（少なくともやる気にはなる）のかもしれませんね。もっとも、この点に着目した研究というのは私の知るかぎり存在しません。

ですから、あえてやるなとは言いません。ただ、単に書き写すだけでは記憶や理解の助けにはならないということは強調しておきます。

見栄えよく書き写しているときに認知機能上の効果をもたらしているのは、記憶とは別の認知プロセスであり、こうした認知プロセスにまっすぐ、確実に働きかける方法は他にあります。

ポイント　ノートの見栄えをよくしても理解や記憶の助けにはならない。そのプロセスや出来栄えを楽しめるのなら、やってもよい。

第5章

教科書をフル活用する

教科書が読みにくい理由はあきらかです。少ない文字数にたくさんの情報が押し込まれています。教科書を書く人は特定のおもしろいエピソードを語るというよりは、まんべんなく情報を提供して、それらのトピックを完全に理解してもらわないといけないと思っています。

複数の文にわたる意味をまとめ上げることが読解力には不可欠です。たとえば、「マクシムは手を振った」という単純な文を異なる文脈に置いてみましょう。

①「アンは、友だちを探してピザ店に入った。マクシムは手を振った」

②「ボートは、生存者を探して難破船のまわりをゆっくりと回った。マクシムは手を振った」

③「『あらいやだ、あそこに私の夫がいるわ!』ケイトは声をひそめた。『夫の注意を引くようなことはしないで』マクシムは手を振った」

①〜③の文が意味するのは、一面的には同じこと――マクシムが手を振るという身体的行為――ですが、その意味――手を振った理由とそれがもたらす結果――は大きく異なります。

教科書を読むことにも同じ問題が当てはまります。階層的に組み立てて書いてあるため、今読んでいる内容と数ページ前に読んだ内容をつなげる必要があるのです。私たちは幼いころ、童話で物語を覚えました。童話は、構成が単純で、AによってBが起こり、BによってCが起こる……というように直線的に話が進むので理解しやすいのです。

一方で教科書は、階層的に組み立てられており、より難易度が高いです。授業でただ座っていさえすれば楽しい話が聞けるのではないように、こうした内容の本を読むときには、読み方を変える必要があります。

教科書を読むとき

✕ **脳がやりがちなこと**　楽しい読み物を読むときと同じように読む。そのほうが慣れているし、脳が働いていなくてもわからないから。つながりがわかりやすく、内容も追いやすいように書かれていると信じ、できるだけ情報の整理に力を使わずに読もうとする。

○ **脳をフルに活かすと**　自分が読もうとしている本にも、その本を読む目的に合った、特別な読解方法を用いる。

脳に効く方法

23

蛍光ペンでマークして終わるな

本を開いて読み始め、重要だと思うところに蛍光ペンでマークする――蛍光ペンでマークすれば記憶が定着しやすくなると信じている人がやりがちなことです。

これはNG。人は複数の文や、複数の段落にわたる意味をまとめ上げるのに失敗してしまうもので、それを無視したよくないやり方です。

冒頭から読んだだけで、どうしてそこが一番重要な情報だといきなり確信が持てるのでしょう？　最初から最後まで読んだとしても、初めて読んだにもかかわらず、どうしてその箇所がマークすべき重要な情報だと判断できるのでしょう？

注意してほしいのは「蛍光ペンでマークするな」とは言っていないこと。自分がすでに多くの知識を持っている分野であれば、問題ありません。

たとえば、20年のキャリアを持つベテランの政治コンサルタントが選挙活動に関する資料を読むのであれば、同じ資料を初めて読んでもよく理解でき、どの情報が重要であるかも正しく判断できるでしょう。

しかし、たとえば大学生が政治学の授業で同じ資料を読んでも、背景の知識を持っていないのですから、そうはいきません。

その文章を読み始める前に、著者の意図がわかってこそ、章の中のどの情報が一番重要かを評価できるのです。

したがって、ダメなのは「ただ読みながら蛍光ペンでマークする」というやり方だけでなく、「ただ読む」のもダメなのです。何の準備もせずにいきなり文章を読むべきではないということです。

では、どうするべきかを次で考えていきましょう。

ポイント

読みながら蛍光ペンでマークするのはやめよう。理解の枠組みが得られず、根拠がないままにどの情報が一番重要かは判断できないのだから。

脳に効く方法

24

目的に合った読書術を使う

「脳に効く方法23」では、何となく読み始めてはいけないと強調しました。著者が興味を持たせてくれるのを待つのではなく、能動的に読んで、プロセスを有益なものにしなくてはなりません。

とはいえ「能動的に読もう」とアドバイスするだけでもあまり意味はありません。解決策は、読むときに具体的なタスクを設けることです。一番有名なのは「ＳＱ３Ｒ法」というもので、１９４０年代に考案されて以来、さまざまなバージョンが世に出回っています。

1 Survey（ざっと見る）

読むものにざっと目を通し、見出し、小見出し、図などを拾います。何が書かれているのかを大まかにつかみます。たとえばヒトゲノム計画についての記事なら、これはヒトDNAの塩基配列を解析することの倫理的意味ではなく、その経済的影響について書かれた記事だな、などと判断するわけです。

2 Question（質問を立てる）

読む前に、そこに回答が書かれていると予想される質問をつくります。この質問を立てるときに、特に役立つのが見出しです。たとえば、「科学哲学に対するマーの功績」という見出しがあったら、「科学哲学に対するマーの功績とは何か」という問いに対する回答が書かれているはずです。

3 Read（読む）

ざっと目を通したときに大まかにつかんだ内容を頭に入れたら、実際に読み始めます。このとき具体的にやるべきなのは、自分の立てた質問の回答となる情報を探しながら読むことです。

4 Recite（暗唱する）

節を読み終えるごとに、そこで学んだ内容を誰かに説明するように暗唱します。その内容を要約し、それが自分の立てた質問への回答となっているかを判断します。

5 Review（復習する）

復習するというのは、内容の再読を継続的に行うことを意味します。その際、特に自分の立てた質問と導き出した回答に着目します。

研究ではSQ3R法によって理解が向上することが確認されていますが、その理由は明らかです。最初に、こんな内容が書かれているだろう、それを知るために読もうなどと思っても、実際に読んでみるとそのとおりには書かれていません。

SQ3R法の「1 ざっと見る」と「2 質問を立てる」のパートは、まさにそうした食い違いをなくすため。また、自分で立てた質問を頭に入れて読むことがそれに役立ちます。

「4 暗唱する」ステップは、自分の考えをまとめ、内容を記憶するのに役立つだけでなく、理解できているかを確かめるのにも使えます。**人は、理解できていないにもかかわらず、理解できたと簡単に思いこんでしまう**からです。

一方で、SQ3R法には、あまり考えずに「ただ読んでいる」状態に陥るおそれがあるという欠点があります。これを回避するには、質問を立てた後（読み始める前）に、何も書いていないふせんをどこかに貼っておきます――各節の末尾に1枚くらいがいいでしょう。張ったふせんを止まる目印にして、そこまでに読んだ節を要約してみて、それが自分の立てた質問への回答になっていたかを考えましょう。

SQ3R法は、もっとも知られた有用な方法です。他にもさまざまな手法がありますが、ほぼすべての読書術に共通するのは、次の2つの重要な点でしょう。

読者に対し、①読み始める前に読書の目的を考えさせ、②大局的な質問をすることで書かれた内容を関連づける――これは決して偶然ではありません。

こういう方法を仰々しく感じた人には、ステップが1つだけの簡単な読書術を紹介したいと思います。それは、**事前に質問を立てるのではなく、読みながら質問を立ててそれに答えてみる**、というものです。

特に、記載された事実に対して「なぜ？」という質問を立てるのがよいでしょう。たとえば、「大統領は法律を提案できるが、それを法案とするには連邦議会議員が提出しなければならない」と書かれているときに、「なぜ連邦議会議員が提出しなければならないんだろう？」と疑問に思ったとします。**「なぜ？」という質問を立てると、より深い原理や関連性までたどり着けることが多い**です。

一方、この読書術の欠点は、知らない事実が出てくるたびに質問を立てるわけにはいかないということ。読むのに時間がかかりすぎますね。多少、練習を重ねて、効率的に質問が立てられるようにする必要があります。

さて、いろいろな読書術を取り上げましたが、どれが他より優れているということは、はっきりしていません。わかっているのは、**読書術は使わないより使ったほうがいいということです。**

ポイント

内容について考え、文章を読む前に何を学びたいかという具体的な目的を設定し、情報を関連づけながら読めるようになるのが、効果のある読書術。

脳に効く方法

25

読書用ノートをつくる

読書でノートをとることには、授業でノートをとることと同じ効用があります。精神的に集中した状態を保つことができ、後で記憶を呼び起こすのに役立ちます。

私の場合、読書ではノートパソコンにノートをとることが多いです。手書きよりも編集しやすく、後で情報を検索できるから。もちろん、ついSNSを見てしまうとか、ノートに図を描く必要があるなどの理由で、紙のほうがいい場合もあるでしょう。あるいは、単に紙のノートのほうが好きという人もいるでしょう。どちらをとるかは、好みです。

読んでいる本に見出しと小見出しがある場合は、それをノートに書いておいてもよいでしょう。それを骨組みにして、読みながら、まとめを書いていきましょう。小見出しごとに要約を書く他、3つほど文を書きましょう。たとえば……。

・要約に対する重要なポイント
・この節が主要な節にどう関連するかの説明
・文章全体に対して自分が立てたいずれかの質問に、この節がどう回答しているか
・著者による別のトピックの要約との関わり

・自分の知らない言葉があれば、その意味も書いておいたほうがよいでしょう。ノートには著者の言葉ではなく、**できるだけ自分の言葉を使う**ようにしましょう。授業がそうだったように、言葉をただ書き写しても意味はありません。頭の中で元の文章に手を加える必要があります。

ノートに何を記録すべきかを考えるときに、記録したものの使いみちを前もって考える人もいると思います。後に試験が行われるのであれば、試験問題にはさまざまな種類があることに注意しましょう。試験に関しては6章で詳しく説明しますが、とりあえずは短答式の問題と記述式の問題の違いを頭に入れておきましょう。

それぞれの問題では、重視する内容に違いがあります。短答式の問題に対する答えは必然的に短くなりますし、定義や日付、分類などを答えるよう求められることが多くなります。記述式の問題では当然、幅広い内容が問われるため、テーマや内容のつ

ながりなどを理解しておいたほうがよいでしょう。どのような試験かがわかっているのなら、その試験で重要となる内容に特に注意を払いましょう。

読書が終わったら、ひと通りノートに目を通して問題がないかを確認しましょう。**自分の立てた質問に対する回答はありますか？**　読み終えた後でも、その質問でよかったと思いますか？　数週間置いてもノートを読み直せば、読書の際に得た気づきをすべて思い出せるでしょうか？

最後に、もう1つタスクをつけ加えておきます（すぐにやらなくてもかまいません）。課題図書がある場合は、**授業とその本にどんな関連性があるのか**を考えてみましょう。あなたが授業前に課題図書を読み終える立派な人なら、それを予想してみてもよいでしょう。授業が終わっても、このタスクについては忘れないように。

ポイント

自分の読書術に沿って読みすすめ、考えをノートにまとめておく。そうすることで、いいかげんな読み方に流れず、とったノートは後で復習するときに役立つ。

脳に効く方法

26

「効果的な速読術」などない

はっきりと申し上げますが、効果的な速読術は存在しません。ページの上から下へさっと手を動かすことはできても、実際にそんな速さで読むことはできません。過去数十年にわたり多くの研究が行われ、わかったのは、速読ができると主張する人たちが行っているのは「スキミング（情報を斜め読みすること）」だということ。そして想像がつくと思いますが、**難しくてなじみのない文章をスキミングしても、大して理解はできないのです。**

第二に、本に学習をサポートする工夫（章の要点、章の予告および要約、強調の太字、模擬試験の問題の挿入など）が施してある場合、文章を読まずにそうしたポイントだけを拾おうとしないでください。

こうした読解サポートが役に立つことを示す研究データもあるのですが、注意が必要です。複数の出版社が出資して質の高い研究を行わせたところによると、研究では、被験者に教科書を何章分か読ませ、その際、学習補助のある教科書を読む人と、学習補助のない教科書を読む人に分けました。

すると、学習補助のある教科書を読んだ人のほうが、ない教科書を読んだ人よりも理解や記憶が優れていることが明らかになりました。

しかし、心理学者のリーガン・グルンとデイヴィッド・ダニエル、エリック・ランドラムは、「野放しの」学生が、研究に参加した学生と同じように学習補助を使うとはかぎらないことを指摘しています。なかには**学習補助を「読書を補う」ために使うのではなく、「読書をしないですませる」ために使う学生がいる**だろうと、グルンらは述べています。

そういった学生は、要約を読み、太字を抜き出して眺めた後、いきなり読書をしなくても理解できているかを確かめるため模擬試験の問題を解くというのです。

読書をサボるつもりで読書術を使わないでください。読書には「たっぷり」と時間を割り当てましょう。具体的にどれくらいかというと、大学では**「授業1時間あたり3時間の予習および準備が必要」**だと言われています。

大学で平均的な単位数を履修する場合、週に12・5時間授業を受ける必要があるため、授業外の予習・準備の時間は大まかに言って37時間（1日にすると5・5時間）となり、合計で週に50時間を勉強に費やすことになりますね。ずいぶん多いですが、理不尽なほどではありません。そうは言っても、人によって読むスピードは違いますし、当然、読み終えるのに時間がかかるものもあれば、そうでないものもあります。

読書にどれだけの時間が必要かは通り一遍に決められませんが、**大学や大学卒業後に何かを学ぼうとするときには、読書が一番の方法になる**ことは覚えておいてください。

学校の勉強でも、知識を得たりスキルを磨こうとするときも同じ。読書にじっくり取り組めば、その分成果がついてきます。

ポイント

講義を聴くことは大変だが、読書もまた同じ。読書に集中して取り組む時間を十分に確保し、そのための努力をしよう。

第6章

知識を血肉にする

本章であつかうのはズバリ、記憶の3つ目の原則「**記憶を掘り起こせば、記憶力が向上する**」ということ。

学生を2つのグループに分けて行った実験があります。

まず、1つ目の学生グループに教科書を1章分読ませて、1時間勉強させます。2日後にまた来てもらい、再び同じ章を読んで勉強させます。その2日後にまた研究室へ来てもらって、内容についてのテストを受けさせます。

2つ目の学生グループでは、1回目と3回目の集合時に行うことは同じなのですが、2回目の集合時には勉強の代わりに内容についてのテストを受けさせます。このテストの問題は最後に行うテストとは異なるものですが、同じ範囲を対象としたものです。

すると、2回目の集合時にテストを受けた学生は、2回目の集合時に勉強をした学生に比べ、最後のテストの成績がおよそ10~15パーセントよくなるのです。

これを「**想起練習**」といいます。**想起とは、記憶から情報を取り出すプロセスのこと。**何かを想起することによって得られる効果は、この実験からも明らかでしょう。

想起練習は、年齢や被験者を問わず有効ですが、注意すべき点が2つあります。

第一に、フィードバック。学習のためにテストを受ける場合は、自分が正答できたかどうかをすぐに確かめる必要があります。**思い出せなかった場合や正しく答えられなかった場合は、すぐさま正しい答えを自分の記憶に植えつけてください。**

そして第二に、想起練習が効果を示すのはテストを行った内容だけ。たとえば、ピョートル大帝に関する文章を読む場合、そこに大帝に関する事実が30個書かれていて、そのうち10個がテストの問題になったとしたら、その10個に関する記憶は向上しますが、あとの20個には効果がありません。

また、想起練習は効果的なのに、効果がないように感じてしまう勉強法だということ。

この本の「はじめに」で私は「腕立て伏せをする際に、床から体を突き放して拍手を入れるといった、難易度の高い腕立て伏せに取り組んだほうが効果を見込める。ただし、そのやり方だと腕立て伏せの回数を多くはできない」と書きました。

ぜひ覚えておいてほしいのは、**たとえ難易度が高く、同時に、やっていてあまり成果が感じられない気がしても、長い目で見ればそれが一番いいやり方だ**ということです。

脳はあなたに、もっと簡単そうで、すぐに達成できるエクササイズを選ぶように命じるでしょう。想起練習をするときにも、まさにこの問題に直面します。

なかなかうまくいかず、すぐに効果を実感できなくても、記憶をしっかりと定着させるには、このやり方が正しいのです。

記憶するとき

× **脳がやりがちなこと**　簡単で、うまくいきそうな記憶法を探す。

○ **脳をフルに活かすと**　難しそうで、短期的には生産性が低く見えても、長期的な記憶を可能にする方法――構成をつかみ、意味について考え、想起練習をする――を用いる。

脳に効く方法

27

ちまたの勉強法は効果なし

- 1人でくり返し口に出す
- ノートを読み返す
- 教科書を再読する
- ノートを書き写す
- ノートに蛍光ペンでマークする
- 概念の例をつくる
- 要約する
- フラッシュカードを使う
- 要点を説明する
- 模擬試験を受ける

大学生を対象にした調査では、これらの勉強法が多く用いられていることが明らかになっています。ここまでで説明した記憶の3大原則に照らし合わせてみましょう。

①記憶は思考の残りかすであるため、「意味について考える」ことが役に立つ
②構成をつかめば記憶しやすくなる
③想起練習により情報が記憶に定着する

リストにある勉強法の一部——要約する、要点を説明する、概念の例をつくる——は、意味について考えるという点でいえば、とてもよさそうにみえます。

一方、ノートを読み返す、教科書を再読する、ノートに蛍光ペンでマークする——はどうでしょうか。必ずしも意味について考えるようになるとはいえません。構成をつかむという点でいえば、「要約する」ことと「要点を説明する」ことを除いて、そのほとんどに効果がなさそうです。

想起練習はどうかというと、「フラッシュカードを使う」ことでこの原則を活かせるでしょう。また、「模擬試験を受ける」こともリストに入っていますが、模擬試験は得てして勉強の手段ではなく、勉強を止めてよいかどうかを判断するための手段と

して使われることがわかっています。

こうした勉強法の中には効果が高いものもありますが、残念ながら、一番効果の低い勉強法――「ノートを読み返す」「教科書を再読する」――こそ、手をつけやすいのでもっともよく利用されています。

内容について考え、関連づけながら、同時に深い集中力を保ってノートを読み返すことは、単純に難しいのです。事実、再読してもおおむね、あまり記憶の役には立たないことが実験で明らかになっています。

心理学者のエイミー・カレンダーとマーク・マクダニエルは、大学生を対象に教科書を2000語分か、または科学誌『サイエンティフィック・アメリカン』の論文を読ませました。学生たちには、後で小テストか要約の作成によって、どれだけ理解および記憶しているかを確かめると伝えました。教科書を1回だけ読ませた学生もいれば、2回読ませた学生もいました。しかし、おおむね2回読むことに効果はみられませんでした。

ポイント　よく使われている勉強法は、記憶には効果なし。

脳に効く方法

28

準備で負荷をかける

私が一部の勉強法を利用しないでと強く言うのは、時間の使い方としてよいと言えないからです。情報を記憶に定着させる一番の方法は、それが何を意味するのかを考え、自分が学習するあらゆる情報と意味をもとに結びつけること。

1～5章にかけて説明した方法は、新しい内容を理解する助けになることでしょう。そして、内容を理解するには、それがどのように構成されているかを理解する必要があります。そして、内容がどのように構成されているかを理解するには、それが何を意味しているのかを理解する必要があります。

実は、記憶の原則について、もう1つ触れておきたいことがあります。記憶にとって重要になるのは精神的負荷のかかる作業をすることであって、その作業から学びを得たいと思っているかどうかは関係ありません。

1～5章で紹介した方法に従えば、どれだけ「学びたい」という気持ちを持ってやれるかは問題ではありません。いずれにせよ精神的負荷のかかる活動を行うことになり、それが学習にすばらしい効果をもたらしますから、結果として学ぶことになるのです。

私の授業を受ける学生で学習に苦労している人はだいたいここまでの章で説明したことをやっていません。彼らはそもそも、何のためにこういうことをするのかがわからないのです。実際に記憶する作業の前準備だというだけでなく、それもまた記憶する作業の一部だということを理解していないのです。

あまりうまくいっていない学生は、授業に出席して課題の読書を間に合わせることが授業に「ついていく」ことだと考えがちです。そして、試験の準備をするころにやっと、その内容の意味について考え、構成をつかみ、理解の穴を埋める作業に取りかかろうとします。それでは取り返しがつかないほど遅いのです。

さらにひどい場合、その時点でも理解するという作業に取りかからず、やっと内容を覚え始めるという学生もいます。

それより、理解の助けになる、精神的負荷のかかる活動をしておくと、勉強のための活動にもなりますから、試験が近づくころには、覚える必要のある情報がだいたい頭に入っているでしょう。

その後も勉強を続ける必要はありますが、有利なスタートとなるのは確かです。そして、情報が頭に入っているのは、もっとも強力な勉強法の1つ、想起練習を活かせているからにほかなりません。

ポイント

1〜5章のコツは、学習内容をしっかりと理解するためのもの。内容を記憶に定着させる際にも最高のスタートが切れる。ぜひ取り入れて。

脳に効く方法

29 参考書をつくる

想起練習を活かすには、質問回答形式の参考書を自分でつくるのがおすすめ。つまり、フラッシュカードを大量につくって1セットにするのです。効率的に勉強できるだけでなく、知る必要のあることすべてを1カ所に集めることができます。

ステップ1：準備

その試験がどういうものかをよくわかっておく必要があります。

- どの授業や読み物が出題範囲となっているか
- 授業と推奨図書から、どれくらいの割合で出題されるかを知らされているか
- どういう形式の問題が出されるか（例：短答式、選択式、記述式）

・どれくらいの量の問題が出されるか。その量を自分が時間内に解くのは難しそうか
・試験中に何らかの情報を確認することはできるか（例：理科の試験中に公式や定数を確認できるか）
・計算機や書き込み用の紙など、補助となるものの使用は認められるか。また、試験中に問題に関する質問はできるか

過去の試験問題が手に入るのなら、ざっと問題に目を通しておきましょう。毎年同じ試験が出されるのなら話は別ですが、そうでないなら内容にあまり気をもんでも仕方ありません。むしろ、出される問題の種類に注意を向けましょう。単刀直入に意味を問う問題でしょうか。それとも、学んだことを新しい文脈で応用することを求める問題でしょうか。全体的なテーマに対する理解を問う試験でしょうか。それとも、重要とは思えない細部の細部まで記憶しているかを問う試験でしょうか。問題文はストレートでしょうか。それとも、わかりにくいでしょうか。

過去の問題に目を通しておくと、どういう問題が出やすく、どういう問題がねらい目かといった感覚がつかめます。

こうした準備はすべて、勉強会のメンバーと一緒にやりましょう。そうすれば、先生から伝えられた情報（試験範囲など）のとらえ間違いがなくなりますし、主観的になってしまうこと（過去問の分析など）にも複数の意見を得られます。

ステップ2：参考書を書く

好みで単語暗記カード（昔からフラッシュカードに使われてきたもの）を使ってもよいでしょう。はぎとり式のメモ帳を使うのなら、ページの左側に問題を書き、右側に答えを書きましょう。あるいは、フラッシュカード作成専用のデジタルプラットフォームを利用してもよいでしょう。

デジタルと、紙のフラッシュカードを比較した試験がいくつか行われていますが、どちらか一方が優れているとする決定的な証拠は出ていません。

見直しがすんだ授業ノートや読書ノートをくまなく読んで、すべての内容に対して問題をつくりましょう。フラッシュカードだけを使ってすべてを勉強する計画を立てましょう。フラッシュカードを完璧なものにする必要があるのはそのためです。

授業や読書において構成の階層に注意を向けていたことが、問題をつくるときにも効果を発揮します。構成のさまざまな階層で問題を作成しましょう（また、階層間にまたがる問題も）。

たとえば、一番低い階層の問題（ミクロな視点の問題）は「サラトガの戦いはいつ起こったか？」、中階層の問題は「アメリカ独立戦争でフランスが13植民地を支援するにあたり、サラトガの戦いが担った役割とは？」、そして一番高い階層の問題（マクロな視点の問題）は「フランスはなぜ13の植民地を支援したのか？」というようにします。

それぞれの階層の問題をどのような配分にするかは、試験の形式に応じて変える必要があります――選択式であれば低い階層の問題を多くすべきですし、論述式であれば高い階層の問題を多く考えておくべきでしょう。

高い階層の問題も、もちろんフラッシュカードにできます。そうしておけば、試験にそのとおりの問題が出なくても、その内容の全体的なテーマについて考える練習にはなります。とはいえ、フラッシュカードの裏側に論述問題の解答をすべて書くわけにはいかないでしょうから、実際に書く文章の骨組みとなるポイントだけを書いておけばＯＫです。

論述式試験の対策をする場合でも、意味や日付といった具体的な低い階層の問題も多少は入れるようにしてください。論述問題に解答する際にそうした情報は必要になりますし、より記憶しやすくなります。

また、問題は両方向からつくるとよいでしょう。

つまり、用語の意味を問う問題――たとえば「機会費用とは何か？」――をつくったら、今度はその意味を問題文にして用語を問う問題――「何かを選択したときに、選択しなかったものから得られたであろう利益のことを何というか？」――をつくっておくのです。

一方向から問題を覚えておけば、その逆側から問題が出されても自動的に答えられると思うかもしれませんが、記憶がそのように働くとはかぎりません。たとえば「コショウ（ペッパー）と聞いて最初に思いつく言葉は？」と尋ねたら、「塩」という答えが返ってくるかもしれません。しかし、「ホット」や「チリ」という答えだってありえます。

一方で「塩という言葉に合うものは？」という尋ね方をしたら、「コショウ」という答えになる可能性が高いのです。一方向からのみ勉強をしていると、「うわー、わかっていたはずなのに！」と思うハメになりかねません。

理科の授業の場合は、どう解決すればいいかが問われる種の問題例をいくつかつくっておきましょう。「この問題で位置エネルギーが重要で、運動エネルギーが重要でないのはなぜか?」のような、説明を求める問題の対策もしておきましょう。場合によっては、考え方を新しい状況や実際の状況に当てはめるような、学んだことを発展させた問題を加える必要もあります（過去の試験を確認しておくと、参考書にこうした問題を加えるべきかどうかを判断する際に役立ちます）。

試験に短答式または選択式の問題しか出ない場合は、事実関係を覚えることに集中しましょう。この場合でも、事実の意味のつながりを考えさせる問題を加えておきましょう。そうした関連性について考えることであらゆる情報が意味のあるものになり、情報が意味を持てば記憶しやすくなります。

ステップ3：記憶に定着させる

参考書をつくる時間は、書き込む情報の量によって変わってきますし、覚えにくいと思うか、それとも覚えやすいと思うかも人それぞれです。

参考書は書かないよりも書き上げたほうが当然よく、書き上げるなら試験前日よりも2日前のほうがベター。

仕上がりが少しでも早くなれば、それだけ参考書を見返す時間ができます。ここで主に問題となるのは「計画性」ですが、大変重要なことなので、10章で詳しく取り上げようと思います。

ポイント　自分の参考書をできるだけ完璧に仕上げ、どんな問題が試験に出てもあわてないように。

脳に効く方法

30

「なぜ？」「どうやって？」と問う

さて、カードに書いたすべての答えは、どう覚えるのがよいでしょうか？

その前に、もし「ものを覚えるのがひどく苦手」だと自分で思っているなら（または公言しているなら）、そういうネガティブな考えを持つのはやめてほしいのです。

誰もが自分は記憶力が悪いと思っています。**医者から記憶に問題があるという診断を受けたのなら別ですが、そうでないのなら、あなたの記憶力にはなんの問題もありません。**

苦もなくなんでも覚えてしまう友だちの記憶力を、自分と比べないでください。あなたは十分な記憶力を備えています――あとはそれを働かせるだけ。

意味のない内容よりも意味のある内容のほうがはるかに覚えやすいのです。映画の筋が簡単に思い出せるのは、それぞれの場面が他の場面とつながっているからです。『トイ・ストーリー』を例にとると、バズ・ライトイヤーが窓から落ちる場面からバズとウッディが道路に取り残されてしまう場面が連想され、その場面から2人がピザ・プラネット・トラックに乗り込む場面が連想され……。一方、ランダムな数字の羅列が覚えにくいのは、数字どうしに関連性がないからです。

このことから、**問題自体が「意味を問う」問題ではなくても、それぞれの問題に対して意味を持った解答を考えるようにしましょう。**

たとえば、「アメリカにおける〝好感情の時代〟は、何年から何年までを指すか？」という問題があったとします。その解答である「1817〜1825年」をなかなか覚えられない場合は、「なぜ？」や「どうやって？」といった意味を考えさせる問題をつくりましょう。

「なぜ、この時期が〝好感情の時代〟と呼ばれたのか？」

1817年という年は、1812年に始まった米英戦争の終結直後にあたり、アメリカ人は戦争に勝利したと考えたことから、ナショナリズムが盛り上がりました。また、ちょうど同じ時期に大統領を務めたジェームズ・モンローは、さまざまな政治的立場の人間を政府の要職に就かせて国の一体感を高めました。

「なぜ？」や「どうして？」でうまくつなげられない場合は、ノートを見返しましょう。それでも見つからない場合は、勉強会で相談しましょう。

意味のないものには、意味を付加する

- 米英戦争の終結
- ナショナリズムの盛り上がり
- ジェームズ・モンロー大統領の施策による一体感

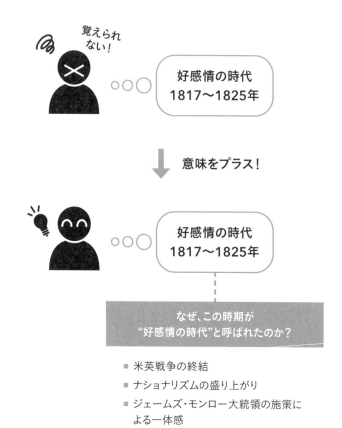

また、他にも記憶を定着させるのに効果的な方法があります。それは、**絵を描くこと**。理由は明らかになっていないのですが、おそらく絵を描くときに頭の中で別の処理が必要となるためではないかと考えられます。

「ポプリという言葉を覚えてください」と単に言われた場合、覚えやすくするために連想できることはさほどありません。できるとしたら、ポプリを見た場所を連想するとか、ポプリ（potpourri）がtを発音しない珍しいつづりの言葉だということを合わせて覚えておくくらいでしょうか。

一方、絵を描くときには、どんな花の入ったポプリにするか、容れ物はどんな素材にするかなどを決める必要がありますし、どんな場所に置くかも考えることになるでしょう。そうした細部のすべてが、言葉を思い出すのに役立つようです。

時間がかかるため毎回絵を描くわけにはいきませんが、覚えにくいものがあれば試してみましょう。

ポイント　意味のないものを覚えるときは、意味を持たせる工夫を。

脳に効く方法

31

記憶のテクニックを活用する

意味のないものを覚えるのに裏ワザとして役立つのが記憶術です。

たとえば、北米の五大湖は「ＨＯＭＥＳ」と覚えますが、これはヒューロン湖（Huron）、オンタリオ湖（Ontario）、ミシガン湖（Michigan）、エリー湖（Erie）、スペリオル湖（Superior）のそれぞれの頭文字をとったものです。

また、言葉の代わりに文を記憶して、その文の各単語の頭文字を手がかりとするやり方もあります。

医学生の多くは「On Old Olympus's Towering Top, A Finn And German Viewed Some Hops（古代のオリュンポスの頂上で、フィンランド人とドイツ人はホップを眺めた）」という文で以下12個の脳神経を覚えます。嗅神経（olfactory）、視神経（optic）、動眼神経（oculomotor）、滑車神経（trochlear）、三叉神経（trigeminal）、外転神経（abducens）、顔面神経（facial）、聴神経（auditory）、舌咽神経（glossopharyngeal）、迷走神経（vagus）、知覚神経

(sensory)、舌下神経 (hypoglossal) ですね。

記憶術には他にも、視覚イメージを利用して覚えるテクニックがあります。

たとえば、「リボン」を意味するスペイン語「シンタ (cinta)」。その音が「サンタ (santa)」にちょっと似ていることから、おもちゃの代わりにリボンが詰まった袋を持つサンタを思い浮かべる、といった具合です。

また、「想像歩行（メンタルウォーク）」というテクニックもあります。

まず、自宅から友だちの家までの道など、自分がよく行く道を思い浮かべ（車での移動を想像してもOK）、道中で気になる地点を見つけて、それを記憶していきます。私の場合は、最初の地点は、コンクリートでできた（あまり気に入っていない）自宅の玄関ポーチにします。

そして2つ目は、自宅の車庫までの途中にある石の壁（客が車で来ると、いつもこの壁にぶつけます）にします。

気になる地点を頭に入れたら、リストにランダムに並んだものでも、その地点と結びつけて覚えていきましょう。たとえば、パン、ピーナッツバター、小麦粉、ビタミン剤を買ってきてほしいと頼まれたとしたら、まずパンを最初の地点に結びつけ（ポーチのコンクリートをスライスしたパンで覆うのを想像)、次にピーナッツバターを2つ目の地点と結びつけ(ぶつけられた石の壁を、モルタルの代わりにピーナッツバターで修理するところを想像)……というように覚えていきます。

後でリストを思い出すときに想像散歩に出かけて、玄関ポーチが見えたら「よし、ポーチにはスライスしたパンがある。最初の品物はパンだな」と思い出していけばよいのです。

ポイント 記憶術は意味のないものを覚えるのに役立つが、内容に意味を持たせるほうがいいやり方。最後の頼みの綱として使うようにしよう。

脳に効く方法

32

自作の参考書を使い倒す

では、内容をカバーする質問と答えをすべて参考書に書き込んだとします。さて、次は？

解答を記憶していくのがごく順当なやり方。自分に質問して、解答を見ずに答えられるかを確認するのです。ここでは、もうひと工夫して、より効果を上げましょう。

第一に、解答は最初から隠すようにします。つまり、**最初に問題と解答をただ読むのではなくて、最初から問題に答える。**そのほうが学習の効果が高まることが研究でわかっています。

第二に、答えるときは声に出す。それにより学習の効果が高まるという研究成果があります。声を出しづらい場所にいるときは、ささやくか心の中で言う。なぜそれに効果があるのかは、わかっていません。**声に出すことに効果があるのはおそらく、それによって自分の考えがまとまるからではないか**と考えられます。

第三に、解答が長めの場合（記述式問題の対策用に書いた解答などの場合）、自分が誰かに教えていると想像してみる。人に教えることが最高の学習法であることは一般によく知られていますが、研究の裏づけもバッチリ。

このようにして自分で自分に問題を出してみると、頭の中で完成された解答をつくって答えるのは難しいと思います。むしろ、次のように要点を並べながら考えをめぐらせてみましょう。「まず話したほうがいいのは○○で、するとこの問題が出てくるから、次に△△について話そう」

第四に、いくら正しく答えているという確信があっても、自分が参考書に書いた解答は確認しておくこと。たまたま間違ってしまった場合、すぐに正しい記憶に塗り替えましょう。それに、何度も同じ間違いをしてしまう場合、そのように間違い続ける理由を探るのに役立ちます。**自分の出した答えが正解だと思う理由についてまず考え、次に正しい答えのほうがいい理由を**（声に出して）自分自身に説明してみましょう。

最後に、**自分で自分に問題を出すときは、順番がランダムになるようにしましょう**。フラッシュカードをつくるときは、問題がトピックごとにまとまってしまいがちですが、試験の問題がトピックごとに出ることはまずありません。

自分に問題を出すなら、試験と同じ出し方にしたほうがよいでしょう。また、毎回同じ順番で自分に問題を出していると、その順番で解答を記憶してしまうおそれがあります。つまり、問題34の解答を聞けば問題35の解答は思い出せるけれども、問題16の後に問題36を出されると、答えられなくなるのです。

デジタルのアプリなどを利用しているのであれば、問題の順番をランダムにするのは簡単。あるいは、単語カードを使っているのなら、シャッフルすればいいだけですね。

ポイント

参考書をつくったら、次は自分で自分に問題を出していくのが手っ取り早いやり方。ただ、さっとすませるのではなく、ちゃんと考えて取り組むには、ちょっとしたテクニックを取り入れよう。勉強時間の有効活用にもなる。

脳に効く方法

33 学習スタイルは根拠がない

結論から申し上げますと、学習スタイルについては数多くの実験が行われており、それらに関する理論には裏づけがないことが示されています。

一番よく知られる理論をみてみましょう。人にはそれぞれ学習スタイルがあり、視覚型、聴覚型、運動感覚型の3つに分類されるというもの。

これを検証するには、次の3つの相からなる実験を行います。

・第1相：被験者を視覚型、聴覚型、運動感覚型に分類する

・第2相：被験者には、学習スタイルによって異なる体験をしてもらう。たとえば、ある人には物語を説明した絵のセットを見せ、ある人には物語を聞かせ、またある人には（最低限の説明をした後に）その物語を演じさせる。ポイントは、自分の学習スタイルに合った体験をする人もいれば、合っていない体験をする人もいると

いうこと

・第3相：被験者が物語をどの程度理解しているかを確認。あるいは、ある程度時間をおいてから、どの程度記憶しているかを確認する。そして、学習スタイルと体験が合えば、学習の効果が高いだろうという予測を立てる

しかし、実験結果は予測に反したものになります。**適しているとされる学習スタイルが何であるかは、学習に影響しない**のです。

学習スタイルに関する理論の数は50を下りません。視覚型、聴覚型、運動感覚型にとどまらず、順序型、全体型や視覚型、言語型など、さまざまな分類法が存在します。しかし、くり返しますが、スタイルを尊重することが学習の助けになるとする根拠はありません。

ポイント

学習スタイルの理論に科学的根拠はない。自分の学習の仕方を「スタイル」に合わせようとしなくてＯＫ。

脳に効く方法
34
仲間と集まって覚える

研究では、ものを覚えるときにグループでやることにメリットはないことがわかっています。勉強会を活用するなら、何が試験に出そうかを話し合い、自分ひとりで参考書をつくって覚え、試験前（48時間ほど前）にまた集まる、くらいがベスト。

では、自分で参考書をつくれるのに、なぜまた集まる必要があるのでしょうか？ 勉強会でおすすめしたいのは、**グループのなかでペアをつくり、各ペアでそれぞれ自分のつくった参考書の問題を出して相手に答えさせる**ことです。

自分ではいくら内容をカバーする参考書をつくったつもりでも、相手の参考書に自分が見逃した箇所が見つかるからです。また、相手が自分とはちょっと違った言い回しで問題を出してくれるのもメリットでしょう。

新しいものを覚えるときにやっかいなのは、覚え方によって理解が狭まりがちなこと。

人は自分なりの表現を通して新しい概念を知り、覚えるものです。その表現の仕方じたいは大して重要ではないのに、それがこびりついてしまう。勉強会のメンバーがそれぞれ、どんな言葉で答えを書いているのか、幅広い角度から考えるいいチャンスになるでしょう。

ポイント

自分の参考書を記憶したら、勉強会のメンバーで集まり、互いに問題を出し合おう。メンバーは皆、少しずつ違ったものの見方をしているため、それを通じて、記憶がより確かなものになる。

脳に効く方法

35 なぜ一夜漬けはムダなのか

「一夜漬け」とは、勉強時間のほぼ全部を試験直前に割り当てることを意味します。金曜日の朝に行われる試験のために5時間勉強しようと計画を立てた場合、一夜漬けだと木曜の夜に5時間分の勉強をすることです。

一方、試験前の5日間に1時間ずつ勉強することもできますね——時間の配分が違うだけで、時間の合計は同じです。

勉強するタイミングについては、記憶の研究者らが何十年もの間、研究してきましたが、**あとあと内容をどれだけ記憶しているかに大きな違いが表れる**ことがわかっています。近年の大学生の実態をよく表す、いい研究を紹介しましょう。

この研究は、心理学の初級講座に登録している学生を対象に行われたものです。研究者らは、心理学で重要な64個の概念を選び、そこからさらに追加で勉強を行う分として32個の概念をランダムに選びました。その32個についてはフラッシュカードを作成し、学生たちにはすべてを正解するまでフラッシュカードで勉強させました。また、その勉強を数週間のうち3回に分散して行わせました。

研究者らは学生の期末試験での成績を分析しました。その際、フラッシュカードで勉強した概念と、追加勉強は課さず、学生自身で勉強したその他32個の概念を分けて分析を行いました（なお、これは学生の成績に関わる実際の試験です）。

どのように勉強したかを学生に尋ねたところ、大半の学生は試験の前夜に勉強したと答えました――つまり、一夜漬けです。

一夜漬けにも一定の効果はあります。期末試験で「一夜漬け」した概念の成績は、そこまでひどくはありませんでした――正答率は72パーセント。

一方、学期中にフラッシュカードを使って勉強した概念の正答率は84パーセントでした。つまり、一夜漬けでも目覚ましい成績を収めることはできないけれど、ひどい結果にはならないということです。

ただ、研究者らが本当に知りたかったのは、期末試験後にも覚えた情報の記憶を保ち続けられるかどうかでした。そのため、一部の学生にしかるべき費用を払って、期末試験から3日後または24日後のいずれかに追加の試験を受けてもらうことにしました。追加試験では問題の出し方を変え、同じ概念の理解を確かめたのです。

3日後に追加試験を受けた学生は正解率がガクンと下がり、「一夜漬け」をした概念の問題のうち、27パーセントしか正解できませんでした。

一方、フラッシュカードで勉強した概念の問題の正答率は80パーセントになりました。さらに驚くことに、24日後の追加試験でも、その正答率は64パーセントを保っていました。要するに、**一夜漬けは、試験直後に情報を忘れてしまってもいい場合にかぎって「効果がある」**のです。

この結果をどう思いますか？

一夜漬けではのちのち余分な作業が生じることを意味します。

たとえば、いずれ「生物学・中級」の授業をとる予定なのに、「生物学・初級」の期末試験で一夜漬けをするのは、この先、やる作業をただ増やしているだけです。

もう1つ、一夜漬けは効果があるように思えてしまうのが難点。

たとえば、あなたと私がどちらも心理学の初級講座をとっていて、64個の概念をがんばって覚えようとしているところだとします。私は5日間かけて、毎晩10分ずつ勉強します。夜に勉強を始めるたび、私は24時間前に覚えた概念の一部を忘れてしまっています。あまりに効率が悪いように思えますが、勉強し直すことは、記憶を長持ちさせるのには最適な方法です。

一方、あなたは試験前の夜に50分間勉強するとします。そうやって勉強し終えたころには、内容をすっかり知り尽くしたような満足感があります。そして実際、翌日に記憶を確かめる試験を行ったら、私よりもあなたのほうがいい成績をとるかもしれません。しかし2日後には、あなたは内容をほとんど忘れてしまうでしょうが、私はそうはならないのです。

ここで当然、「試験前の一夜漬けがダメだというのなら、勉強時間をどう配分したらいいんだろう?」という疑問が出てくるでしょう。効率を最大限に高めるスケジュールについては、これまでにも解明が試みられてきました。

しかし私は、勉強時間の最適な配分を追求しても、あまり意味があるとは思いません。大切なのは、**記憶する作業を分散させること**。

「完璧な」時間配分にするために、土曜日の午前6時に起きてフランス語の動詞の問題を解くようにしても、そのうち続かなくなるだけです。とにかく勉強時間を分散させればよいのです。それで、もし可能なら**その間に一晩の睡眠を挟むように**しましょう。

つまり、水曜日の朝と水曜日の夜に分けるよりも、火曜日の夜と水曜日の朝に分けて勉強するほうがいいということです。詳しくは10章で扱いますが、学習にとって睡眠はとても大切です。

ポイント

その学習を長期的に続ける気が本当にないのなら、一夜漬けでもいい。そうでなければ、日を分けて、勉強を複数回に分散させよう。

第7章

テストに備える

しっかり勉強して試験に臨んだのに、結果はあまりよくなかったという経験をしたことがきっとあなたにもあるはずです。この場合、多くの人が試験のせいにします。「確かにこの答えを知っていたのに、この試験の方式じゃ私が知っていたことが活かせない。試験に問題があったに決まっている」と。

しかし、「私は内容を理解していた」という判断は、自分の頭の中の評価にすぎません。たしかに、試験問題がお粗末だったかもしれません。しかし、意外にも、**人は自分の習得具合に対する判断を誤る**ことがあります。

生態学の授業をとっていて「アカテホエザルはブラジル固有の動物である」という事実を記憶に定着させたいと思っているとします。自分がこの事実を覚えたことを確かめるには、どうすればいいでしょうか？　簡単です。「アカテホエザルはどの国に固有の動物か？」と自分に問いを出して、記憶から何が出てくるかを確認すればよいのです。もちろん、これは自分がそれを知っているかどうかを判断する1つの方法にすぎませんが、悪くない方法です。

しかし、人は成績と習得具合をごちゃまぜにするものです。この2つは異なります。たとえば私が、運動を終えたばかりのあなたに会い、腕立て伏せの練習をずっとやってきて今では20回できる、とあなたから聞かされたとします。

「すごい！　やってみせて！」と私が言うと、あなたは「今は無理。運動して疲れているから」と答えるかもしれません。腕立て伏せを20回できるようになったものの、運動直後では、その習得具合に見合った成績が出ることはないのです。

学習でいう「成績」は、「アカテホエザルはどの国に固有の動物か？」という問題に対して「ブラジル」と答えることです。そして、「私はこの問題に正解したんだから、間違いなくそれを知っていると言える」と考えてもよさそうなものです。

しかし、今（ある条件下で）それに答えられたからといって、どんな状況でも確実にその記憶にアクセスできるとはかぎりません。

自分が何を知っているかを甘めに見積もりがちなのは、知らずしらずに、成績がよくなる方法で自分の知識の確認を行っているからです。そのため、自己テストではいい結果だったから完璧だ、と判断してしまうのですが、実際のところ、記憶はまだ定着していないのです。

テストに備えるとき

✕ 脳がやりがちなこと

成績と習得具合をごちゃまぜにしてしまう。何かをそらで言えたら、（本当に記憶できたわけではなくても）十分に勉強したと判断する。

脳をフルに活かすと　成績がよく出るやり方を用いずに、自分の知識を確認する。試験と似た条件で確認するのが手っ取り早い。

脳に効く方法

36

「わかっている」とはどういう状態か

聖アウグスティヌスは、西暦400年ごろに書いた『告白』に「誰にも尋ねられなければ、私は知っている。だが、尋ねてくる人に説明しようとすると、私は知らない」と記しています。この知見は現代においても同じです。

学生：自分がこんなに成績が悪いだなんて納得できません。がんばって勉強したし、確かに全部わかっていたんです！　意図がよくつかめない問題もありましたけど。
教師：でも、君は全部わかっていた……。
学生：そうです！
教師：そうか。じゃあ、授業で扱った「忘却の理論」についてちょっと説明してみて。

学生：わかりました。刺激と反応があるんです。それで、刺激が反応につながらないと……待って……違う……いや、もし刺激が反応から切り離されると、あるいはその、切り離されない……ええと……わかってるんです、説明できないだけなんです。

この学生は「わかる」という言葉を先生とは違う意味で使っています。学生が考えているのはこんなことです。

「忘却のしくみを勉強し始めたときは、まるでわからなかった。教科書の内容も、授業もさっぱりだった。でも、別の本をじっくりと時間をかけて読み、授業に出ている友だちからいくつか違った説明を聞いたから、今なら忘却の理論の話を聴いても、全部ちゃんと理解できる」

これは「以前よりも話についていけるようになった」という意味。

しかし、それでは十分ではありません。試験の準備のためには、他の人の説明を聞いて理解できるだけでなく、自分で内容を説明できないとダメなのです。

ポイント
「わかっている」と言うには、説明を理解できるだけでなく、他の人に説明できることが必須。

脳に効く方法

37

再読で満足してはいけない

ビジネススクールで「イノベーション」という講座をとっていると想像してみてください。あなたは、ウェアラブル技術（心拍数や体温などの身体的情報を集めて保存する衣類や装身具）に関する授業に出席します。なかなかおもしろい授業で、無理なくついていけます。

ところが、次に授業に出てみると、先生が前回とまったく同じ内容を話し始めます。教室がざわつきますが、先生は気にしていません。やがて、誰かが手を挙げ「この授業はもうやりました」と指摘します。

「ええ、でも大事なところなので、もう一度やっておきましょう」と先生は答えます。そして、前回と同じスライド、エピソードを用いて、授業が進められます。

そんな授業が行われたら、どう思いますか？

私なら、大いなる時間のムダだと思ってしまいます。「はいはい、前に聞きました。

全部わかってるし、学ぶところがないよ」と心のうちでこぼすことでしょう。

では、先生がおさらいする内容を私は「わかっている」のでしょうか？　それは、どちらとも言えません。

たしかに、自分が前にその内容を聞いたことはわかっていますし、そう判断できるのは、前回の授業の記憶があるからです。その意味では「わかっている」といえます。しかし、授業の内容を要約しようとしても、うまくできないでしょう。

何かを再認識するとき、記憶にある情報の引き出され方には2種類のプロセスがあるといわれています。

1つ目のプロセスでは、**ほとんど注意を向けずとも素早く情報が引き出されます。**ただし、引き出されるのは、なじみがあるかどうかという限られた情報です。つまり、対象が前に見聞きしたことがあるかどうかはわかっても、それに関連する情報は得られませんし、いつ、どこでそれを見聞きしたのかもわからないのです。

そして、もう1つのプロセスでは、**対象に関連する情報は得られますが、注意を向ける必要があり、情報は比較的ゆっくりと引き出されます。**

この2種類の記憶のプロセスには、たぶん思い当たるところがあるでしょう。たまに道端で誰かに出くわすと、なじみがあるかどうかを確認するプロセス（熟知性の原則）

により「この人知ってる！」とわかります。

そこからもう一方のプロセスに移り、その人の名前やどうやって知ったかという詳細な情報が追求されるのです。ただ、2つ目のプロセスで名前などの情報が何ももたらされないこともあります。その場合でも、この人に会ったことがあるという確信が薄れることはありません。

私は記憶を定着させるのに、再読は効果的ではないと前述しました。**記憶するには意味について考えることが大切ですが、再読ではそれができているとは言い切れない**のです。

再読が勉強法としてまずいのにはもう1つ理由があります。再読すると「これは知っている」と勘違いしてしまうのです。再読するのは、ウェアラブル技術の授業をもう一度受けるようなもので、「はいはい、前に全部見ました。もう十分わかってます」と思いながら読むことになります。

しかし、この「わかっている」という感覚は、前にそれを見たことがあるかどうかを評価する記憶のプロセスに由来するもの。前に見たことがあるからといって、その内容について話したり、分析したりできることにはなりませんね。

さらに、**再読すればするほど、記憶のプロセスを通じて「前に見たことがある！」**

という感覚が強くなってしまいます。

誤解のないように言うと、理解するためであれば再読には価値があります。何かを読んで理解できなかったのなら、もう一度挑戦してみましょう。

ポイント

再読するとなじみがあるという感覚が強くなり、内容を習得し終えたと勘違いしがち。それでは何かを思い出すことはできないし、試験でまさに必要になる他の関連情報を記憶から引き出すこともできない。

脳に効く方法

38

自己テストをする

試験準備として自己テストをする人もいるでしょう。よく行われるのは、教科書を読み返し、不明点を調べて、今読んだ一節を要約しようとすることです。うまく要約できたら、それが内容を習得していることの証になるというわけです。

しかし、内容を記憶に定着させることが目的ならば、こういう自己テストには3つの点で問題があります。

第一に、読み終えたばかりの内容について自己テストすることはできません。それだと、短期記憶に内容がまだ残っていますので、本当に記憶をテストしていることにならないのです。読んだばかりなのですから。厳密なルールがあるわけではないですが、少なくとも30分は時間を置いたほうがいいでしょう。

第二に、自己テストの1つとして要約を行うのはいいですが、内容に関する具体的な知識や、引き出しうる結論、情報間の比較など、本当に自己テストすべきことは他にあります。

第三に、自己テストを行うときは、自分の答えを声に出してはっきりと言う必要があります。頭の中で答えるとあいまいな考えや不完全な考えで満足してしまいます。声に出して答え、考えをすべて言葉にすれば、自分が本当に理解しているかどうかがわかります。

さて、私が自己テストに設けている条件――解答を見てすぐにテストをしない、さまざまな問題を用いる、声に出す、他人の意見をもらう――が、6章で勉強法に取り入れるようおすすめした手法に、もうかなり織り込まれているとお気づきでしょうか。内容をカバーした質問回答形式の参考書をつくり、自分に問題を出して勉強すれば、理解度を正確に把握しながら勉強を進められるのです。

ポイント　学習してからしばらく時間を置いて自己テストを行い、声に出して答えを言ってみる。自作の参考書を記憶するための手法とよく似たやり方だ。

脳に効く方法

39

過去問を上手に使う

テストの準備において、過去の試験問題は益よりも害のほうが大きいように私には思えます。過去問で理解度を確認すべきでないのには、いくつか理由があります。

まず、去年の試験は今年の授業内容にピッタリ合ったものにはなっていません。課題図書が変更されることもあれば、授業のペースが早くなったり、遅くなったりすることもあるでしょう。また、重点の置かれるトピックが変わることや、内容が一部更新されることも考えられます。

こうした変化は月日が経つにつれて積み重なりますので、試験問題が古くなればなるほど現在の授業内容からかけ離れてしまいます。

しかし、もっと深刻な問題点があります。たとえば、授業で1000個の概念が扱われたとします。当然、試験ではそのすべての概念に関する問題が出るわけではありませんから、あなたはこう考えるかもしれません。「900個だけを覚えておこう。

私はツイてるから、先生だって私の勉強しない100個を問題に出したりしないはず」

この考え方は危険ですね。できれば、すべてを覚えたいところです。それに、すべてを覚えるとしても、記憶に残りやすいものとそうでないものは出てきますので、運の要素はからんできますし、どんな問題が出されるかによって、試験の成績は左右されます。

だから、運の要素を最小限にしたいのであれば、全部をどれだけ理解しているかをもとにして試験準備ができているかどうかを判断すべきなのです。過去の試験を解いても、学んだ内容のごく一部をもとに判断することにしかなりません。むしろ、**運の要素をわざわざ取り込むことになってしまう**のです。

もし過去の試験問題を使うなら、出題の傾向をつかむためにするのが賢明です。試験準備ができているかどうかは、過去の試験によってではなく、自分のつくった参考書をどれだけ理解できているかによって判断しましょう。

ポイント 過去問は、試験準備ができているかを判断するためでなく、問題の傾向をつかむために使う。

脳に効く方法

40 わかった後も続ける

では、もう1つ思考実験をやってみましょう。世界史の授業で、月曜日に小テストを行うと教師が発表したとします。中国の歴代王朝の名称と成立年代を覚えなければなりませんが、16王朝しかないため、それほど難しいようには思えません。そこで、あなたは日曜日の夜に、歴代王朝を間違わずに順番通り言えるようになるまで自己テストを行うことにします。

翌日の小テストでは、王朝の名称と成立年代を答えられるでしょうか？もしかしたら次の日も王朝を完璧に覚えているかもしれませんが、おそらくそうでない可能性のほうが高いでしょう。勉強してから18時間以上が経過すると、何かしら忘れています。

人は得てして、一度習得したものは長期間、安定して成績に反映されると考えるものです——つまり、今日の成績が１００パーセントなら、次の日の成績も１００パーセントになるはずだと。

この問題に対処する唯一の方法は、**忘れることを計算に入れておく**ことです。わかるまで勉強し、その後も勉強し続けることが必要なのです。これは「**過剰学習**」と呼ばれる学習法で、実験により幅広く検討されてきました。その研究成果から2つ、知っておくべきことがあります。

第一に、過剰学習をすれば期待どおりの効果が得られます。つまり、忘れにくくなります。第二に、過剰学習をやっている間は、効果がないように感じてしまいます。わかった後も勉強し続けるというのは、時間のムダで、バカバカしく思えますか？フラッシュカードを復習するとすべて正解するので、「これをやることに何の意味があるんだろう？」とつい考えてしまいます。しかし、過剰学習をやると記憶が強化され、忘却が防げるのは確かです。

では、過剰学習はどれくらいやるべきなのでしょうか？　それは、その情報を覚えておきたい期間や、学習する内容の性質、そのトピックについて他に知識があるかなどによって変わってきます。

過剰学習で私が思い出すのは、大学生のころ、期末試験期間中に友だちと話していたときのことです。その友だちは有機化学の期末試験に向けて勉強をしていたのですが、「中庭で風に揺れる木の葉が有機化合物に見えたら、自分が準備万端だってわかるんだ」と言うのです。

ちょっとやりすぎに聞こえますか？

私の経験から言うと、**内容がわかるまで勉強したら、その勉強時間の15パーセント程度をかけて、追加の勉強をするとよい**と思います。この数字には特に裏づけはありません。重要なのは、実際の勉強量がいくらになろうと、ともかく続けることです。

ポイント

内容がわかるまで勉強したからといって、そこで勉強をやめてはいけない。勉強をやめてから試験を受けるまでの間に忘れてしまうのを防ぐため、もう少し勉強を続けよう。

第8章

テストを受ける

試験では2つのことが求められます。すなわち、情報を記憶から呼び出すことと、その情報を用いて何かをすること（例：問題を解く、説得力のある小論文を書く）です。

学生をみていると、この2つの要件のどちらを重視するかを、試験期間のどの時点にいるかで変えていることに気づきます。試験前、学生はどれだけ多くの内容を覚えるかが大切だと考えています。「記憶すればいい成績がとれる」というわけです。

しかし、試験を受けている最中は、そうして覚えた情報を記憶からどう呼び出すかということをほとんど考えようとしません。むしろ、手近にある記憶をどれだけ有効利用するかということにばかり知恵をしぼっているのです。

彼らが多くの時間と気力を費やしてやろうとするのは、「問題が本当は何を意味しているのかを読み解く」だとか「教師が自分に何を答えさせたいと思っているかを見抜く」といったことなのです。

これは一般に「試験攻略法」と呼ばれるものですが、まずうまくいきません。

こういう攻略法には、問題文に含まれる微妙な意味合いを読み取ろうと書かれています。あるいは、選択式の問題を解く際に「役立つ」裏ワザを使って選択肢を消去させようとします。たとえば、「『必ず』や『絶対に○○ではない』という言葉を含む選択肢はたいてい間違いである」といった具合です。

こういったテクニックに頼る人は、試験中に記憶から多くの情報を引き出すのはムダだと考えており、まずやろうとしません。しかし、それは間違っています。

試験を受けるとき

✕ 脳がやりがちなこと　一度、何かを覚えたら、いつでもその記憶を引き出せると思うかもしれない。だが、「思い出そうとがんばったら報われることもある」というのが真実。それなのに、人は記憶を引き出そうとがんばるのではなく、記憶から出てくる情報に対して効果のない方法を用いてしまう。

○ 脳をフルに活かすと　望む答えがすぐに出てこなくても、自分の記憶力に見切りをつけないこと。試験攻略法は最後の頼みの綱にすべき。

脳に効く方法

41 不注意によるミスを防ぐ

テスト用紙が戻ってきて、絶対にわかっていたのに、cのつもりがbに丸をつけていた——というようなミスをしたときほど、くやしいことはないでしょう。

こうしたことが起きないようにするには、テストを受けるときのちょっとした決まりごとをつくっておく必要があります。

ルール1：30秒で全体の説明を読む

推測での解答には罰則があることや、計算過程をすべて書く必要はないこと、完全な文章を書く必要はないことなどが書かれている場合があります。

ルール2：次の30秒で全体にざっと目を通し、各問題にどれだけ時間を使えそうかを把握する

問題ごとの配点に気をつけて、配点の大きいものに多くの時間を使うようにします。3分の1の時間が経過したとき、3分の2の時間が経過したときそれぞれ、どこまで進んでおく必要があるかを簡単に見積もりましょう。また、最後に解答を見直すための時間を少し残しておきます。問題用紙には、これらの目印をつけておくこと。

ルール3：1つひとつの問題をしっかりと読む

問題を半分読んだだけで何を問われているのかがわかった気になり、問題を読み間違える人がいます。

あるいは、全文を読んでいても、「〇〇でない」のような否定の言葉を読み落としていることがあります。答えがわかったと思っても、その問題が問うていることを読み違えていないかを確認しましょう。

ルール4：最後の数分間で、解答の見直しをする

うっかり問題を飛ばしていないか確認します。小論文や記述式問題の解答は読み返して、読めない文字や誤字・脱字、不完全な文などがないように。選択式の問題では、正しい選択肢が選ばれているか、数学や科学の試験では、複数のステップからな

る問題のすべてに解答できているかを確認します。各問題に対する答えを丸で囲んでおけば、どんな解き方をするつもりなのかが採点者によく伝わるでしょう。単位が明記されているか確認します。また、グラフの軸にラベルをつけます。

学生が低い点数に納得がいかずに私のもとへやってきたときに、その解答を確認してみると、**数パーセントは「うっかりミス」による間違い**です。先に挙げたルールを習慣にすれば、つまらない理由で点数を落とすことがなくなります。

ポイント うっかりミスをなくすために、ちょっとしたルールをつくっておく。

脳に効く方法

42

不安をスーッと楽にする

試験中に不安を感じて集中力が保てなくなると、正解がなかなか思い出せなくなって、また不安が高まってしまう――こうした負のサイクルを打ち破るか、そもそものサイクルに入らないようにする方法を考えていきましょう。ここでは、いくつかテクニックを紹介します。

試験当日にカフェインを含む飲み物をとるのを減らしてみて、それで効果があるかを確認しましょう。

試験を受ける他の学生の存在が気になってしまう人もいます――貧乏ゆすりする人や、スラスラと解答している人が目に入っただけで落ち着かなくなるというのです。そういう人は1人で座るか、できるだけ前のほうに座るのがベター。あるいは試験中、耳栓をしてもよいでしょう（耳栓をしても構わないかを教師に確認してください）。

自信がないだとか、この試験で単位を落としたらどうしようなどと友だちとおしゃべりをして、不安をなだめる人もいます。聞かされるほうは嫌な気分になることもあるので、**試験直前は他の学生と話さないほうがいい**でしょう。相手にはこの時間に最後の詰め込みをしたいと伝え、ノートから顔を離さないようにしましょう（ノートを読むことで精神を集中させられるのなら、それでいいですが、逆に不安になるだけなら、実際に読む必要はありません）。

心を落ち着かせて集中するため、試験前に瞑想やお祈りをする人もいます。試験中に頭が混乱してきたときにも、試してみる価値はあります。普段、どちらもやっていない場合は、次に紹介する3ステップの簡単な手順をやってみるとよいでしょう。

①　目を閉じる
②　7秒かけてゆっくりと息を吸い、7秒かけて息を吐き出す
③　これを2、3回、または落ち着くまでくり返す。それでうまくいかなかった場合、トイレへ行くことが許可されているのなら、それを利用して少し歩いてみる

頭の中が散らかってしまい、リラックスするのが難しいこともあります。そういう場合は、前段の深呼吸を行った後に現状認識のためのセルフトーク（自己対話）を行う

と効果があるかもしれません。

混乱の理由が、予想していなかった問題がたくさん出題されているためであれば、**誰もが同じ状況なのだ**ということを思い出してください。

混乱の理由が、準備不足にあるのなら、**この試験ひとつで自分の将来が決まるわけではないし、まして自分の価値が決まるわけでもない**ことに意識を向けてください。

うまくいかなかったとしても立ち直れます。立ち直り方はいくらでも考えられると思いましょう——あるいは、一緒に立ち直り方を考えてくれる人のことを思い浮かべてもいいでしょう。

ときどき、「自分がうまくできているところを思い描く」ことで不安に対処しよう、というアドバイスを耳にします。しかし、そうした想像力を保ち続けるのはなかなか難しいというのが私の実感です。

自分がうまくできているところを思い描いて効果があればいいのですが、効果がない場合は別のものを思い描いたほうがよいでしょう。

ここで提案したいのが、自分を支える人が側にいると想像することです。私はパネルディスカッションで発表するとき、自分が成功して拍手喝采を受けるところは思い描けませんが、妻が側にいてくれるのは想像できます。妻の目を通して自分の仕事ぶりを見つめれば、より現実に近い自分の姿をとらえることができます。

たしかに今は本領を発揮できていないかもしれないが、自分で思っているほどひどい有り様というわけでもない。けれど、自分の低調ぶりを考えて黙っているのではなく、**自分を信じてくれている人のためにもベストを尽くすべきなんじゃないか。**

私の頭の中ではさらに、状況をポジティブにみる妻の声が聞こえてきます。

「あなたの話を興味深そうに聴いてる人もいたのよ。3列目のあの女性なんか、うなずきながら聴いてたんだから。それはそうと、テーブルの端に座ってるあの登壇者がなんでずっとしゃべってるの？　あなたの話のほうが間違いなくおもしろいのに」

あなたの支えになってくれる人は、どんな言葉をかけてくれそうでしょうか？

ポイント
不安を鎮めるには、自分が不安になるような状況を避け、自分を落ち着かせるテクニックを用いましょう。

脳に効く方法

43

勉強に慣れた場所から連想する

学生が筆記試験を受ける場合は、その内容を学習したところと同じ場所、すなわち教室で試験を受けることが多いでしょうが、資格試験などは初めての場所で受ける場合もありますね。

勉強した場所と違うところで内容を思い出そうとするとき、記憶の働きは悪くなるのでしょうか？

たぶん、ほんの少しは。ものを覚えるとき、それがいつ、どこで起こったかという情報が重要になることがあります。これは一般に「文脈情報」と呼ばれるものです。

たとえば、スーパーの駐車場に車を停めるとき、どこに停めたかを覚える必要がありますが、自分の車をその場所と永久に関連づけようとは思いません。つまり「場所」と「時間」をセットにして結びつける必要があるのです。その場所に今日、車を停めたとしても、永遠に停めるわけではありませんね。

また、駐車場で自分の車をなかなか見つけられない理由もここにあります。「今日」というタイムスタンプが押された記憶を探そうとしても、同じ場所（または似た場所）に車を停めた別の日の記憶と混ざって見分けにくいからです。

同様に、勉強しているときに、その勉強している状況と記憶を結びつける必要はありませんが、場所や時間の情報は、必要と関係なく記憶に入り込んでしまうことがあります。

いる場所や時間を念頭に置いて勉強すると、内容が場所や時間といっそう結びつきやすくなります（例：リビングの壁のひび割れを使って西ヨーロッパの主要な川を頭に思い描く）。これもまた、「記憶は思考の残りかすである」という原則を示す1例です。したがって、勉強するときは、その内容を学習環境と意識して結びつけないようにする必要があります。

しかし、意識して記憶に入れないように勉強しても、学習環境は記憶に忍び込んでくるものです。ならば、そうした記憶の性質をうまく利用しましょう。

試験中になかなか思い出せない内容があったら、それを勉強したときの場所を頭に思い浮かべればよいのです。

自分がその場所にいるところを想像し、その場ならではの音や匂いがあったのなら、それも一緒に想像しましょう。そうやって頭に思い浮かべれば、失われた記憶をよみがえらせる助けになるかもしれません。

ポイント　ある内容をなかなか思い出せない場合は、それを勉強したときの場所を頭に思い浮かべてみる。

脳に効く方法

44

「トピック」から思い出す

まず、ちょっとした実験をやってみましょう。60秒の間に動物の名前をどれだけ挙げられますか？　実際にやってみてください（60秒経つ前に動物の名前が思い浮かばなくなったら、そこでやめてもかまいません）。

どうだったでしょうか。もし「牧場にいる動物」というヒントを出したら、もっと動物の名前が思い浮かびそうですか？「オーストラリアにいる動物」や「サーカスの動物」、「ペットショップにいる動物」というヒントならどうでしょうか？

記憶はトピックに沿って（塊になって）整理されやすく、またそのようにして呼び起こされるものです。

この記憶の原則は1978年、心理学者のリチャード・アンダーソンとジェームズ・ピチャートが行った実験によって明らかにされました。アンダーソンらは、短い物語を被験者に読ませました。その物語は、マークとピートという2人の少年が学校をずる休みして、ピートの家にたむろするというものです。被験者は皆、同じ文章を読みましたが、ある被験者には自分が泥棒になったつもりで読むように指示し、他の被験者には家の購入を検討する人になったつもりで読むように指示しました。

その後、被験者がその文章のどのような内容を記憶しているかを検証すると、泥棒の視点で物語を読んだ被験者が覚えていたのは、ピートが言った「家の勝手口のドアはいつもカギをかけていない」だとか、「父は貴重なコインのコレクションを持っている」といったことでした。

一方、家の購入検討者の視点で読んだ被験者が覚えていたのは、外壁には新しい石の壁材が取りつけてあるけれど屋根は雨漏りがするといった内容でした。

たしかに泥棒のように考えろと言われて文章を読んだら、泥棒の関心がありそうな細部に注意がいくのは当然です。また、家の購入検討者の視点を持ったときに、関連する細部に注意がいくのも、またしかりです。

しかし、この実験がおもしろいのはここからです。研究者らが次に、被験者に視点を切り替えさせたところ――泥棒の視点から家の購入検討者の視点へ、というように――**被験者は切り替えたほうの視点に関係のある情報を記憶した**のです。泥棒から家の購入検討者へ視点を切り替えるように言われた被験者は、おそらく次のように考えたのでしょう。
「ええと、家の購入を検討している人はどんなことを気にするんだろう。住宅環境のよさ？　家の修理が行き届いているかどうか？　ああ、そうだ、屋根が雨漏りすると物語には書いてあったな」

では、試験を受けるときにこの記憶の原理をどう活かせるでしょうか？「ヴェルサイユ条約が調印されたのは何年か」といった答えが明確な場合は、情報を呼び起こすのに役立ちません。

ただ、記述式の試験でよく目にする、知識をいくつかつなげて書く必要のある問題（たとえば、「ヴェルサイユ条約によって1920年代のフランスが受けたもっとも重大な影響は何か」）では、全体的なトピックから考えることが役立つ場合があります。

この種の問題では、自分が学んだ膨大な量の知識のうち、どの部分が解答につながるかについて、限られた手がかりしか与えられません。

先ほど「60秒の間に動物の名前をどれだけ挙げられますか？」と私が質問したときのように、あてもなく記憶を探らないといけないのです。「こんなこと学んだおぼえがない」と、つい思ってしまうかもしれません。あるいは、多少関連しそうなことを思い出しても、小論文を書き出せるとは到底思えないでしょう。

学習した内容のどの部分が問題と関連するのか、なかなか見当がつかない場合は、学んだトピックをメモ用紙（または問題用紙の余白）に書き出しましょう。そうやって書き出したトピックは、先ほどの質問で出したヒント（オーストラリアの動物、牧場の動物など）と同じ役割を果たします。ヴェルサイユ条約に関する問題の場合は、「戦争による財政面の影響」「条約締結により得た領土」「兵士の社会復帰」などと書き出せるかもしれません。**できるだけ多くのトピックを書き出したら、1つずつ検討して問題の解釈や解答に役立つ記憶が呼び起こされないかみてみましょう。**

なお、この作業にはある程度時間がかかります。他の問題をひととおり解き終わり、当の問題に戻ってくる時間がある場合にのみ有効です。

ポイント

記憶を引き出すのにごく大まかな手がかりしかないテストでは、学習した内容のテーマを書き出し、問題に関連しそうな内容をすべて検討してみよう。

脳に効く方法

45

時間いっぱい粘る

最初に思考実験をやってみましょう。あなたは記憶力の実験に参加することにします。まず、ありふれたもの（魚、花など）を描いた24枚の絵を、1枚につき5秒ずつみてもらいます。

これを1セットとして、2回くり返します。その24時間後に再び来てもらい、描かれていたものを5分間でできるだけ多く白紙に書き出してもらいます。次に、3分間かけて関係のない作業（単純な計算問題）を行ってもらい、あなたが絵について考えないようにします。それが終わったら、また別の白紙に、前日にみせたものを思い出せるかぎり書き出してもらいます。そして、また3分間の計算問題を挟み、もう一度、絵に描かれていたものを思い出して書き出してもらいます。

1回目と2回目、3回目で思い出せるものの数は変わるでしょうか？

これは実際に行われた実験で、参加者は平均して1回目に19個、2回目に20個強、

3回目に21個を思い出しました。この結果は偶然ではありません。**人は思い出そうとするたびに少しずつ多く思い出す**のです。

この現象は過去数十年間に多くの実験で認められているのですが、なぜそうなるのかははっきりとはわかっていません。ただ、効果の一部が想起練習によるものだとはいえます。つまり、記憶を思い出そうとすれば、たとえその情報が見つからなくても、その記憶が強化されるのです（6章を参照）。

問題を何度考えても結果は同じように思えるかもしれませんが、実は少し変わることがある――その違いによってふと、手がかりから望む答えを引き出せるようになります。

といっても、問題を読んで解答が思いつかなかったときに、すぐに問題を読み直しても意味はありません。5秒程度では、記憶の状態が何も変わらないからです。しかし、5〜10分後であれば、他の問題について考えた後になるため、記憶の状態がやや変わっています。

試験ではそれぞれの問題につき、**30秒以上は解答を考えるようにしましょう**。それでも**答えを思いつかなかった場合は、問題に印をつけておき、5〜10分後に戻ってきましょう**。時間切れになるか問題を解き終えるまで、あきらめずに。

ただ、そうすると、答えは変更したほうがよいのか、それとも最初に正しいと思った答えを貫いたほうがよいのかという疑問が出てきます。この疑問については、1960年代ごろから数多くの実験で検証されてきました。実験では次のような技法が使われています。

解答用紙の消し跡を確認して、それを①間違った答えから正しい答えへの変更、②正しい答えから間違った答えへの変更、③間違った答えから別の間違った答えへの変更、のいずれかに分類するのです。すると、どの実験でも、間違った答えから正しい答えへの変更がほとんどになります。

また、変更した理由について学生に尋ねると「間違った解答に気づいたため」と答える学生はほぼいません。むしろ、大半の学生が「その問題について考え続けていたため」と答えています。つまり、学生たちは試験中、**あきらめずに考え続けたおかげで、新たなひらめきや気づきを得ている**のです。

例をもとに考えてみましょう。「カルバラーの戦いが決定的な要因になって宗派が2つに分裂した宗教は?」という問題を解くとき。

思いつきで答えを「仏教」にしたとします。なんとなく「カルバラー」という語感

粘れば粘るほど、答えに近づく

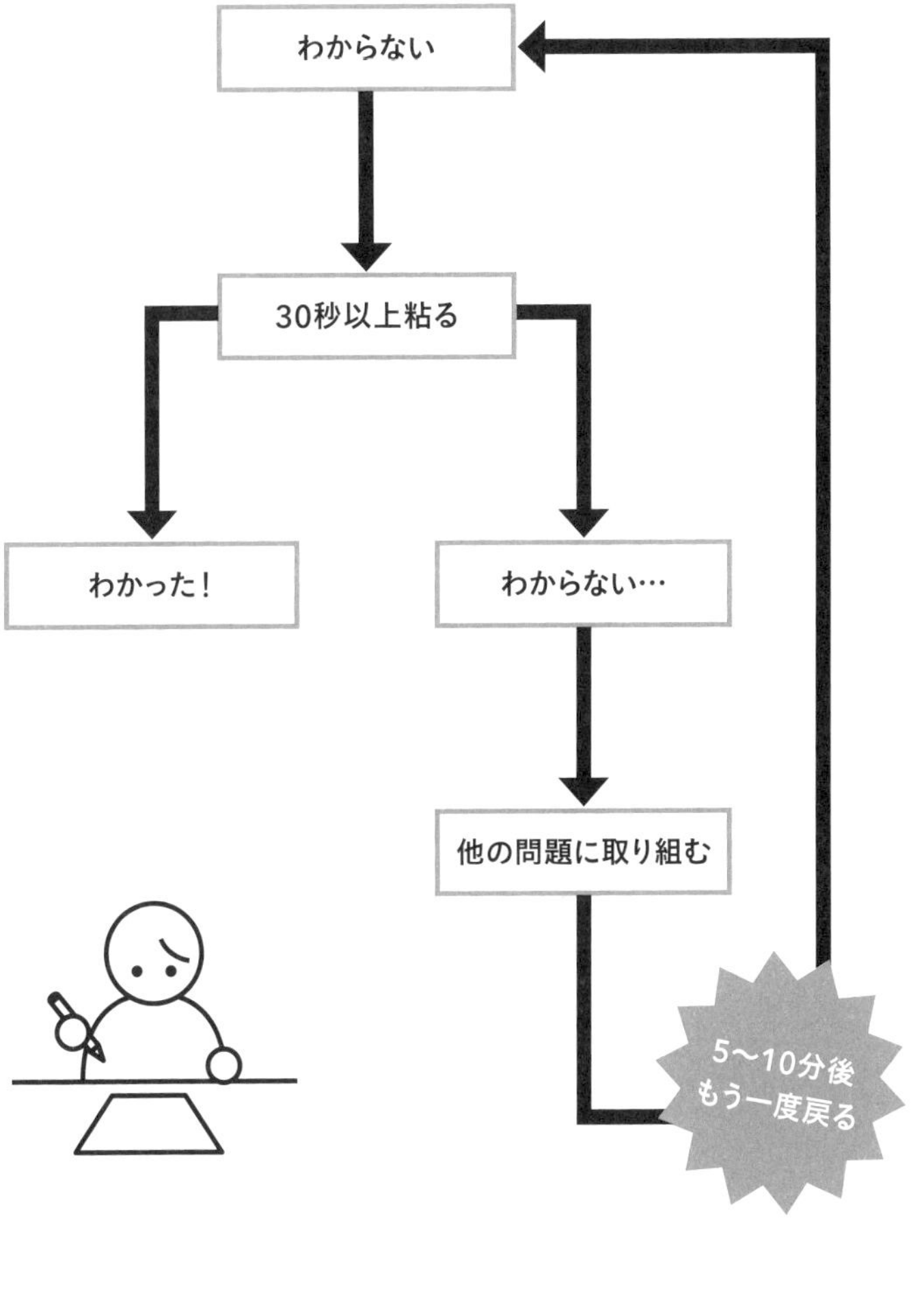

が「仏教」っぽかったから。しかし、他の問題を解いているうちに、厳格なシーア派イスラム教徒は黒い服を着て誰かを追悼する行事を行う、と先生が言っていたのを思い出します。その誰かの名前は思い出せませんが、その人こそカルバラーの戦いで殉教した人物にちがいない、とあなたは思います。そこで、答えは「イスラム教」だと95パーセントの確信を持つにいたります。

しかし、そこまで確信を持てなかったら、どうすればよいでしょうか。特に選択式試験の問題では、正解にみえる答えが複数出てくることもあります。そんなときは直感や当て推量で答えを選ぶべきでしょうか？

こうした問題に答える実験を私はまだ目にしたことがなく、結局は自分がどう試験に向き合っているかを各自で検討する必要がある、というのが私の考えです。この点については9章でも取り上げます。

ポイント

何か思い出せないとき、5〜10分置いて問題を読み直してみる。直感や当て推量では正解率は上がらない。自信を持って答えを選んだら、それを信じよう。

脳に効く方法

46

「思いつき」で答えない

試験には、記憶したことをそっくりそのまま答えさせる問題があります。一方、問題を解釈することや、覚えた内容を応用させる問題もあります。

知識を応用する問題では、間違ってはいないけれど求められる答えにはなっていない、ということが起こります。たとえば、「哲学におけるロマン主義は、当時のイギリスの詩人にどのような影響を与えたか」という小論文。学生は、ロマン主義の哲学や詩人に関する知識を書き込むものの、その2つをどうやって結びつけていいかわからない――しかしこれこそ、この問題が求めていることです。

答えを間違ってしまうのにはさまざまな理由があります。

単に答えがわからないという他に、問題文に重要な言葉が1つか2つあるのを目にして、「これ、わかる!」と思い、問題文を最後まで読まずに解答してしまうことがあります。私はこれを「思いつきの知識」と呼んでいます。**問題文を見てパッと頭にひらめいたことでも、それが本当に問題の答えとはかぎりません。**

選択式の問題を解くときにもこれと同じことは起こります。例として、電気技師の資格試験の模試で出題された問題をみてみましょう。

電圧計を直流回路につなげるときに確認する必要があるものは何か。

A　力率
B　RMS（実効値）
C　抵抗
D　極性

正解は「極性」（回路のどちらがプラスで、どちらがマイナスかということ）。ただ、電圧計は一般に抵抗（選択肢C）を測定するために用いられます。電気技師の志望者は、試験勉強をしているとたびたび「電圧計を使って抵抗を測定してください」という指示に出くわします。そのため、問題文に「電圧計」という言葉があり、答えの選択肢に「抵抗」があると、受験者の脳はすぐさま「これとこれでセットだ！」と反応してしまいます。実際はそういう問題ではないのに、一部の受験者はそう答えてしまうのです。「思いつきの知識」がたとえ事実として正しく、教材に何度も出てきたものだったとしても、出された問題の答えとして合っていると早合点しないでほしいのです。

問題を解くときには、基本的なことですが問題文をきちんと読むのが一番。加えて、重要な言葉を見たときに脳が「思いつきの知識」がひらめきやすいことは知っておいてください。

ポイント

しっかり試験勉強をすると、一部の情報どうしが強力に結びつき、情報Aを見ると、情報Bがパッと頭に浮かぶようになる。だからといって、情報Bが正解とはかぎらない。

脳に効く方法

47 消去法を使わない

選択式の試験で、複数の選択肢を示されてつい考えすぎてしまうことがあります。たとえば、選択肢Aが正しいことはわかっていて、BとCは絶対に間違っていることもわかっていたとします。しかし、Dを見たあなたは「うーん。Dも正しいかもしれないなあ」と思い、気づかないうちに選択肢Dの支持者になっています――つまり、Dが正解となる状況を考えはじめてしまうのです。こうして、人はしばしば、問題に仮定を追加したり、そこに書かれていないことを読み込んだりします。

2つの選択肢から1つにしぼれなくなったときは、次のように自分に問いかけてみてください。

① 選択肢のどちらかを正解にするには〝仮定〟を追加する必要があるか？

② ある状況下では、選択肢のどちらか1つしか正解にならないか？

この質問のいずれかで一方の選択肢のみが正解となった場合、どの答えを選ぶべきかわかるはずです。

また、学生が裏ワザに飛びついてしまうこともあります。

選択式問題における選択肢の消去法が端的な例。消去法とは、たとえば「『必ずそうだ』とか『絶対そうでない』などと書いてある選択肢は避ける」とか、「肯定的に書かれた選択肢と否定的に書かれた選択肢があったら、肯定的なほうがだいたい正しい」といったものです。

こういった裏ワザは最後の頼みの綱にしましょう。選択肢ばかりでうんざりしたときに、やけを起こしてやることです。これらの裏ワザが「まったく」役に立つのか、立たないのかについては議論の余地があります。ただ、いざ議論になったら裏ワザを支持する人も、どんな問題にも使えるわけではないと言うでしょう。

選択式問題では、選択肢を読む前にまず頭の中で解答してみましょう。その解答が選択肢の中にあったら、それを選べば大丈夫。

しかし、問題文を読んだだけでは答えがわからなかった場合、よくある裏ワザでは、選択肢を分析して、間違っていそうなものから1つずつ消去していくよう勧めています。これは間違ったアドバイスです。

答えがわからなかったら、問題を読み解くことに多く時間を使うべきです。答えは必ず記憶から出てくるものであり、問題文は記憶を探る手がかりです。正解にたどりつくためには問題文に向き合いましょう。

心理学者であるジェームズ・マディソン大学のデイヴィッド・ダニエルは、学習の「80／20の法則」を示しています。これは、大半の学生が試験時間の20パーセントを使って問題を読み解き、80パーセントを使って解答を考えることを指したものです。

彼は、この時間配分を逆転させて、問題を読み解くのに80パーセントの時間を使うことを提案しています。そのほうが成績は向上するのです。

ポイント

内容がわからなくても正解できるという試験攻略法は、役に立たない。当てずっぽうと同じ。

脳に効く方法

48

記述式問題は結論を決めてから

大半の学生にとって対策が必要なのは選択式問題よりも、むしろ小論文（記述式問題）です。というのも、十分に考えることなく、解答を書き始めてしまう学生が多いからです。

こうした誘惑をよく知っているのが脚本家です。ある脚本家が、今取り組んでいる脚本がすごくいいんだと話したら、それを聞いた別の脚本家はきまって「結末はどうなの？」と尋ねるのだと。観客が満足するように話を終わらせるのは、とても難しいことなのです。

小論文にも同じことが言えます。最後をうまく着地させて、全体を効果的に構成することこそポイントです。

小論文を書くときにおすすめしたいのが、3つのステップを踏まえた書き方です。

ここでは、次の試験問題が出されたと仮定して話を進めてみましょう。

「『ハムレット』の重要なテーマである『仮象と真実』について考察する小論文を書いてください。真実を直視できなかったことがハムレットの破滅の要因だと思いますか？」

ステップ1：組み込むべき要素をメモ用紙にすべて書く

思いついたことをどんどん書き出していきますが、あまり関連しない要素もたくさんありそうです。なまじ知識があると、小論文に詰め込みたくなるものです。

メモに書き出した知識を整理し、関連する知識が解答に含まれるようにするには、サブ問題によって知識の仕分けをしましょう。

この例で言うと、①「仮象と真実」というテーマの考察、および②真実を直視できないというハムレットの性格上の欠点、この2点がサブ問題に当たります。

サブ問題1問に対して根拠になることを、少なくとも2つ、できれば3つ、4つは立てましょう。

たとえば、「AがBを引き起こす」または「AはBの一種である」という主張をするには、複数の根拠が必要になります。

また、頭の中の知識を書き出すときには、階層状の構成を意識するようにしましょう。書き出した知識やテーマ、考えは、すべてが同じ階層にあるわけではありません。階層の一番上にあるのが結論で、その下に結論の具体的な説明や、結論の根拠、結論に対する補足事項などがあります。小論文では、こうした要素のつながりがよくわかるようにしましょう。

そして、その問題にどれくらい時間を使うかを見きわめましょう。

試験の問題数が10問の場合よりも3問の場合のほうが当然、1問ごとに詳しい解答が求められますね。

ステップ2：肉づけする

ステップ1では知識を書き出し、また、それをサブ問題ごとに仕分け、階層上の構成について考えることで、知識の関連づけにも手をつけたのでした。ここでは、それに肉づけしましょう。時間に余裕がないのはわかりますが、よくまとまった小論文にするには必要なことです。

一文一文の質にもこだわる必要がありますが、一度に2つのこと――論理的な構成とわかりやすい文章――は考えられません。そのため、自分の考えをまずまとめてください。

ある考えから別の考えへ、どうやって移っていけばよいかを考えましょう。言いたいことをまとめておけば、論理の穴や、補強が必要な部分にも気づきやすくなります。

ステップ3：ひたすら書き始める！

肉づけがまとめられたら、問題の答えについてはもう考えなくてかまいません――できるかぎりわかりやすい文章を書くことだけに集中してください。その際、言葉の選択や、筋の通った段落にすること、文の長さに変化をつけることなどを意識するとよいでしょう。

私自身は学生の小論文を読んでいてよくわからなくなったら、考えに一貫性がないのか、それとも文章がまずいのかのどちらかだと思っています。簡単なことではありませんが、できるかぎりよく書くに越したことはないでしょう。

ポイント 小論文のテストは、3つのステップで要点を整理して、素早く小論文にまとめる。

第9章

結果を検証する

試験の結果が思わしくなかったとき、当然、準備の仕方に変更すべき点があるはずです。しかし、何を変えればいいのでしょう？

多くの人は「もっと勉強しないといけない」と思うでしょうが、それだけでは不十分。**具体的ではないから**です。

たとえば、考えられる原因をすべて検討しましょう。

①授業を欠席したか、課題図書を読んでいなかった
②問題の内容には触れていたが、理解していなかった
③内容を理解はしていたが、ノートをとっていなかった
④ノートをとっていたが、自作の参考書に載せていなかった
⑤自作の参考書に載せていたが、記憶していなかった
⑥記憶はしていたが、試験中に思い出すことができなかった
⑦記憶から呼び起こそうと思えばできたのだが、問題を誤って解釈していた
⑧正解がわかっていたが、うっかり間違った選択肢に丸をつけてしまった

こうして振り返ると、よくやる間違いとあまりない間違いに分けられるのではない

でしょうか。成績が悪かったテストを分析するのは憂うつですが、これから取り組むべきことを知るためには、必要です。

テストを振り返るとき

✕ **脳がやりがちなこと**　成績が悪かった理由をちらっと探って「もっと勉強しないといけない」と思う。

○ 脳をフルに活かすと　悪い成績から目を背けたくなるのをこらえて、何がいけなかったのかを分析する。その分析によって、次の試験に向けてまたがんばることができる。

脳に効く方法

49

間違いを分類する

試験で何がよくなかったかを知るには、自分が答えられなかった問題を分析しないといけません。まずは間違った問題にふせんを貼りましょう。その際に勘で当たった問題にもふせんをつけるようにしましょう。**どちらもわかっていなかったという点では同じ**です。

ここでは特定の解答が用意されている問題、すなわち選択式問題、穴埋め問題、または数学や理科で出題される計算問題を対象として分析していきます。自分の間違いを評価する方法は2つあります。

第一に、間違えた問題の内容を分析すること。一番わかりやすいのは、間違えた対象ごとに分析することです。

ある特定のトピックをもとにした問題を多く間違えましたか？　間違えた問題は主に課題図書と授業のどちらにもとづくものでしたか？　間違えた問題は、細かい事実やデータに関するものでしたか、それとも大局的なテーマに関するものでしたか？　間違えた問題の内容にパターンを見出すことができたら、次の試験の前に自分のノートや参考書に不備がないか、気をつけるようにしてください。勉強会で一緒に確認して、内容を全部理解するようにしましょう。

間違えた問題に関する内容がノートと参考書のどちらにも書かれていたか確認しましょう。もし書かれていないのなら、参考書づくりがいいかげんだったということです。次は、すべての内容を取り入れるようにしましょう。

間違えた問題は、具体的な情報をそのまま思い出す必要があるものでしたか、それとも知識の応用を求めるものでしたか？　応用問題はいつも手強いものですが、解答の腕をみがくことはできます。

第二に、間違えた問題を見たときに、頭をよぎったことを分析しましょう。間違えた問題を見直すときに誰しも思うこと８つを、その意味合いとともに紹介します。

1　その問題が試験に出たことに驚いた

つまり、その内容をノートにまったくとってなかったか、または重要でないと判断して自作の参考書に入れなかったということです。そうやって１、２問間違うのはよくあることですが、何問も間違ったのなら、改善策が必要です。参考書に不備がないようもっと気をつけましょう。

2 （選択式問題の）選択肢がどれも正解と思えない

その概念は理解していたものの、自作の参考書に入れてなかったのかもしれません。あるいは、理解しているつもりでも、実際には理解できてなかったのかもしれません。ただ、一番考えられるのは、ノートや参考書に書いていたことがおかしかったというパターンです。その内容についての自分の理解を他の人と比較するとよいでしょう。

3 それが正解であることはよくわかっているけれど、思い出せなかった

自作の参考書での勉強が十分ではなかったということです。多少なりとも過剰学習に取り組むべきでした（脳に効く方法40を参照）。また、8章で取り上げた記憶を呼び起こすコツを見直してもよいでしょう。

4 この問題はある概念を問うものだと言うが、自分もその概念については勉強

していたのに、そのときにはどう関連するのかがわからなかった

問題には情報をそのまま思い出す必要があるものと、知識の応用を求めるものがあります。問題で問われている概念に気づけないことが、応用問題の難しい点なのです。

たとえば、パブロフの犬が学習によってベルの音を聞くとよだれを垂らすようになることや、他の文脈でもその種の学習が起こりうること（例：子どもが猫に引っかかれると、猫を怖がるようになる）を教わっていたとしても、試験問題に書かれている状況（例：魅力的だと思う女性が香水をつけていたので、その香水を好むようになる）がそれと同じことだとは見抜けないこともあります（脳に効く方法29を参照）。

5 バカな間違いをした

問題を読みはじめて、カギとなる言葉にも気づき、何を問う問題かがわかったので、解答を書いた――けれど、「〇〇ではない」という否定の言葉を見落としていた、というような間違いです。あるいは、数学の試験で $(x+y)^2$ という式を当てはめるつもりが、2乗するのを忘れていたというのも、この一種。こういう間違いはくやしいですが、深刻なものではありません。自分が書いた解答をよく見直すようにしましょう。

6 なぜ自分の答えが間違いなのか？　理由がわからない

おそらく、自分のノートや参考書にその問題に対応する内容を十分に書いていないのだと思います。ある概念に対する理解が部分的で、肝心なところが抜けているため、自分の解答が的を外れたものになっている理由がわからないのです。先生に相談して、詳しく説明してもらいましょう。

7 考えすぎていた

考えすぎるのは、試験攻略法を使っているときです。その結果、自分を間違った答えへ追い込むか、あるいは問題を間違って解釈してしまったのです（脳に効く方法47を参照）。

8 引っかけ問題だった

ストレートに尋ねてくる問題だったら正解できたのに、という気持ちでしょう。誤解させる書き方がしてあったため、問題を誤って解釈してしまったのです。引っかけ問題については、この章で後ほど取り上げます。

ポイント

問題を解いているときに何を考えていたかを検討して、自分が答えを間違えた理由を分析する。試験の準備をしていたときや試験を受けていたとき、どこがいけなかったのかを知るためだ。

脳に効く方法

50 記述式問題のミスを分析する

小論文の添削指導は、先生にとって手間のかかることです。私の場合、細かいところまで指摘することもありますが、テストを8つも抱えていて時間が限られているときには、解答の隣に「主旨があいまい！」というようなコメントを残すだけになってしまいます（私が学生のときに受けた添削で今でも覚えているのは、20世紀アメリカ文学の小論文です。そこに残されたコメントはたったひと言。「ダメ。C＋《シープラス》」）。

最低限の添削だった場合は、教師に詳しい意見を聞きにいくとよいでしょう。それができなくても、自分には難しかった問題でいい点をとった人が勉強会のメンバーにいるかどうかは確認しましょう。**よい解答とされたものを見ておけば、自分の解答に何が欠けているか、わかるかもしれません。**

いい点を取っている人はもっと具体的な例を出していたり、授業で教わったトピックをもとに根拠を多く提示していたりするかもしれません。

次に、自分の試験勉強のやり方に立ち返って、もっと効果的にできないかを考えてみましょう。

また、どのような種類の小論文が出題されたのかを検討する必要もあります。小論文の試験では、主に2種類の問題が出されます。

1つは、内容について詳しく説明することを求める問題。ミクロ経済学の授業で、経済変数の弾力性について丸一日かけて学んだとします。その後、「弾力性を定義し、弾力性を測る方法を3つ挙げ、それぞれの利点と欠点を述べよ」という小論文が出題されました。

これは内容をそのまま思い出すことを求める、採点者にとっては楽な問題でもあります。評価すべきポイントが明確であり（定義、3つの方法、各方法の利点と欠点）、そのポイントごとに点数を配分できるからです。

したがって、満点がとれなかった場合、どこがよくなかったかを確かめるのも簡単です。選択式問題や短答式問題と同じように、ノートをとっていたか、自作の参考書に取り入れていたか、記憶できていなかったかなどを判断しましょう。

もう1つは、今までに学んでいないこと（推論あるいは仮定的状況）に対する評価を求める問題です。この種の問題の間違い方には、いくつかのケースが考えられます。

1つ目は、教師が特定の解答を想定していて、単にそれがわからなかったケースです。たとえば、子どもへの読み聞かせの指導に関する授業をとっている教育学部の学生がいます。

期末試験には「8歳の子どもに対して夏休みの間、本を1冊読み終えるたびに1ドルをあげるのはいいアイデアだと思いますか、それとも悪いアイデアだと思いますか?」という問題が出題されます。

授業で習ったこの問題に対応する内容が頭に浮かばないとすれば、関連しそうな考えを思いつくままに書いていくほかありません。

しかし実は、授業で「報酬とやる気の関係」、すなわち「報酬を与えることがあだとなって、その活動に対するやる気が低下する」という考え方を取り上げていました。問題の文章に「報酬」や「やる気」という言葉が入っていなかったため、あなたはこうしたことを思い出せなかったのです。

この問題は、**特定の状況（お金）の根底にある原理（やる気、報酬）を説明することが求められている**のです。次の試験でこういう深い問題が出されると考えられる場合は、6章で紹介したコツをみておきましょう。

2つ目に、問題のとらえ方は間違ってないのに、主張ができていないか、論が組み立てられていない、または展開がうまくないために、全体として何を言わんとしているのかが教師に伝わらない、というケースが考えられます。

小論文に正しい知識を取り入れたとしても、きちんと構成できないといけません。「8歳の子どもにお金をあげる」という先ほどの例題で考えると、そこで求められているのは、このアイデアの「善し悪し」について結論を出すことです。

結論が出されていないか、あるいは根拠を示せないと、出来のよい小論文とは言えません。

3つ目に考えられるのは、関係のないことをたくさん書いて、まとまりがなくなってしまうケースです。

報酬とやる気について論じなければいけないのはよくわかっているけれど、先生は他のことを想定しているかもしれないから、一応、他の内容も追加しておこうと思っていろいろ書きすぎてしまったパターン。

「知っていることを多く書いたほうがいいはず」と学生は思いがちですが、多くの場合、これは間違いです。先生によっては、点数稼ぎのために関係のないことを小論文に書いたら減点すると明言する人もいます。私はそこまで言いませんが、**小論文に3ついいところがあって、正しい知識が4つ書かれていても、どれも設問に関係ないこ**

とだったら、いい点をあげられないでしょうね。

それは、ハンバーグのソースをアイスクリームにかけるようなものです。

「何がいけないの？　お肉のソースは好きでしょ？」

「好きだよ。でも、かけるのはここじゃない」

こうならないようにするには、簡潔に要点をまとめるとき、小論文に何を取り入れるべきかをよく考えてみてください。

4つ目は、小論文はいい出来栄えだけれど、問題で問われている内容には合っていないケースです。

たとえば、シェイクスピアに関する授業の試験で、恋愛観を論じるよう求める問題が出されたとします。先生は『ロミオとジュリエット』について書くことを期待しますが、あなたはなぜかこの作品にはあまり触れず、自分が読んだことのある『ハムレット』で解答を作成します。

小論文は悪くない出来だったとしても、そもそも最初から認識が違っています。書き始めたり要点をまとめたりする前に、頭の中でもっと長く考えをめぐらせる必要がありました。この場合、『ハムレット』が最初に思い浮かんで、不安から一気に解答を書き進めてしまったのでしょう。

そして最後に考えられるのは、書き方がまずいケースです。文法の間違いや、誤字、言葉の使い方の間違いが多少あっても、減点する教師はあまりいないでしょう。ただ次のように、あまりにくだけた書き方や、不適切な文体が採られていると、1、2点差し引く教師はいるかもしれません。

「カントって深いとか思われてるけど、彼の本を何回も読んだら、バカじゃないのとしか思えなくなる」

こういう文章を提出しないために、小論文を書き終えた後、少し時間をとって最終チェックをするようにしてください。

ポイント

採点する先生が最低限の添削しかせず、その成績の理由を教えてくれなくても、小論文で成績が悪くなる典型例を知っていれば、次回に向けてどう改善すべきかがわかる。

脳に効く方法

51

「引っかけ問題」の真相

ここで1つ、謎かけをします。

沈みかけているボートに乗っていると想像してください。見渡すかぎり陸地はなく、おまけに腹をすかせたサメにまわりを囲まれています。どうすればいいでしょうか?

——答えは「想像するのをやめる」です。

こういう謎かけを出すと、不満を口にする人が出てきます。というのは、謎かけを解くのにはある種のかしこさや、問題を解決する能力が求められるはずだと思っているからでしょう。

謎かけを解くにはむしろ、謎かけを出題する人に悪意があると考える必要があります。悪意というのは、相手に想像するように仕向けて、謎かけの世界をさも本当の世界のように見せかけ、本当の世界と同じように物事が起こると信じさせようとしているからです。そうしなければ、謎かけは意味をなしません。先ほどの沈みかけているボートの謎かけも、「ポケットからヘリコプターを出して、飛んでいく」という答えですませることもできます。

試験の引っかけ問題は、悪意のある謎かけのようなもの。引っかけ問題はひねりを加えて別の解答を正解にします。「２＋３＝？」に「５」と解答しても、「違う。これは＋の記号じゃなくて、×を回転させたものだよ。正解は６」と言われてしまうようなものです。

ただ、引っかけ問題が実際に出題されることはめったにありません。試験の作成者は、受験者がどれだけ理解しているのかを知りたいと考えており、引っかけ問題はそうした望みの邪魔になるからです。

教師の出した問題がかなり繊細な解釈を求めるものだと感じたら、勉強会の仲間と一緒に確認してみましょう。きっと引っかけのように思えた問題も、実際はとても明快な問題だとわかったりします。

引っかけ問題と思える場合、その原因はたいてい問題の書き方ではなく、内容に対する学生の理解にあります。たとえば、次のような美術史の問題。

ヨーロッパのロマン主義時代における絵画の特徴として、正しいものはどれか。
A　風景に焦点が当てられ、人物が描きこまれることはめったになかった。
B　自然の力が表現され、人物が描きこまれることが多かった。
C　ギリシャ神話のテーマに焦点が当てられた。
D　完全に宗教的なものだった。

あなたはロマン主義が古典期を好まず、従来からすれば宗教的でもなかったことを知っているため、CとDが正しくないのはわかります。

また、ロマン主義が自然を重視したことを知っているために、AとBの選択肢で悩みます。最終的に、人物が描きこまれないというのが自然をより重視しているように思えたため、Aを選ぶことにします。

しかし、正解はBでした。あなたは釈然としません。どちらもすごく似た答えに見えるし、正解とされる選択肢は自分の理解にそぐわないように思えるからです。見たところ、選択肢AとBの主な違いは、人物が描きこまれることはめったになかったか、描きこまれたかという点にあるようです。そのため、「めったになかった」という、かなり主観的に思える言葉が正解と不正解を分けたのだと思ってしまいます。

しかし、これはあまり正しい解釈とは言えません。こう解釈してしまうのは、授業内容に対する理解が不十分だったためです。あなたはロマン主義の画家が自然を表現しようとしていたのは知っていましたが、畏怖を感じさせる自然の力を表現することが重視されていたのは知りませんでした。ロマン主義の絵画において、人物は壮大な自然の目撃者として小さく描かれるものなのです。

教師の間違いで、選択式問題に正解となる選択肢が２つあることや、正解と区別がつきにくい選択肢を加えてしまうことも、たしかにあります。いい先生であれば、自分のミスを認めて、どちらの解答にも点を与えてくれるでしょう。

ただ、いくら自分が正解と思った答えを間違いとされたからといって、先生のせいだとは思わないようにしましょう。**正しく解答できなかったのは、だいたい自分の勉強が十分でなかったというのが実際のところ**だからです。

ポイント　問題が引っかけにみえたり、まぎらわしく感じたりする場合はだいたい、内容の理解が十分でないことが原因。

脳に効く方法

52

「正解した問題」も検討する

試験でたとえベストを出せなかったにせよ、何かを学んだことは事実。自分がやり遂げたことに自信を持ちましょう。

いつまでも落ち込んで絶望している人は、現実から目を背けているだけ。その状態でいると次の学習にもやる気が起きにくく、また客観的にみても残念な人間だと思われかねません。気持ちを切り替えましょう。

ただ、これは気持ちやる気だけの話ではありません。間違えた問題はもちろんですが、**正解した問題も分析して、やり続けるべきことを把握しましょう。**

細部まで完璧にできていますか？　課題図書の問題はできていましたか？なんであれ、うまくできたことには自信を持ち、その調子で続けましょう。学習で新しく取り組んだことがうまくいった場合は、特にその意識を持ちましょう。

正解した問題を分析して、自分の課題が見えてくることもあります。

たとえば、間違った問題を検証してみると、問題の多くで、別々の授業で学んだ内容をまとめ上げる必要があったことに気づいたとします。しかし、次に正解した問題を見てみると、別々の授業の内容をまとめた問題がいくつもあることがわかります。

「じゃあ、正解した問題と間違った問題の何が違ったのだろう？」と自問します。

すると、テストの前半ではそうした問題にも調子よく解答できていたものの、だんだんと余裕がなくなり、ノートにまとめた内容を頭の中でつなぎ合わせる時間がなくなったのだろう、と見当がつくかもしれません。

このように、**自分の強みを分析すれば、弱みに対する理解が深まることもある**のです。

ポイント　自分に自信を持つため、また自分が取り組むべき課題をよく把握するために、正解した問題にも目を向ける。

脳に効く方法

53

途中で投げ出さない

失敗したテストの分析をやらなきゃいけないなんて……とガックリ来る人の気持ちはよくわかります。

「たいていの人は批判によって救われるよりも、褒め言葉によってダメになるほうを選ぶ」と、アメリカの作家ノーマン・ヴィンセント・ピールも言っています。

失敗したテストから自虐的な結論を導き出す人は、学校教育や頭のよさに対して、このような見方をしています。

① 頭がいいか悪いかは生まれつきで決まっており、変えることができない

② 頭のいい人は間違いをしない

頭のよさを変えることができるかどうかについて、研究ではどう言われているでしょうか。

頭のよさは「知識の量」と「情報をどれだけ容易かつ素早く処理できるか」という

2つの要素によって決まります。この2つ目の要素――「頭の回転の速さ」と言ってもいいでしょう――は、おそらく変えられません。これまでも頭の回転を改善する訓練プログラムを開発しようとする人はいたのですが、今のところ成功した例はありません。

しかし、もう1つの要素である知識量については、簡単に変えることができます。情報を多く学べば、それだけ頭もよくなるのです。ただ、頭の回転の速い人が新しい課題を難なくやってのけるのを目の当たりにすると、そうでない私たちは落ち込んでしまうこともあるでしょうね。

たとえば、チェスのやり方を覚える場合、頭の回転の速い人のほうが習得は早く、簡単に試合で勝てるでしょう。しかし、後者が練習を重ね、チェスの知識（序盤の定石など）を得たら、知識を持たない前者をすぐに打ち負かすようになります。

どんな教科であっても、望みさえすれば成績を伸ばすことができます。ただ、その教科について学ぶ必要があるということなのです。

また、「頭のいい人は間違いをしない」という2つ目の仮定は大間違いです。この世界のどこに間違いをしない人がいるというのでしょう？　おそらく、頭がよく見える人は自分よりも間違いが少ないだけで、それも、その人ががんばって学習したからなのです。

ときどき「自分は課題図書を読んでないし、試験勉強もしていない」などとアピールする人がいますが、なぜそんなことをするのかと言うと「かしこい人は生まれつきなのであって、自分はがんばったって仕方がない」と信じているからです。

人生のまさにすべてを学生または教師として学校で過ごしてきた私から言わせてもらえば、**勉強ができる学生は、ほぼ例外なくがんばって学んでいます。**

そこには、よくできていない箇所を見つけて、必要なところにエネルギーを集中させられるようにすることも含まれます。

オールAを取る人は、自分の間違いから学ぶことを恐れない人です。試験の間違いを直視すると自分はバカだと思うかもしれませんが、実際、**頭のいい人も同じことをやっているの**です。そのことを忘れないでください。

また、自分がどれだけのことを成し遂げたのかも、心に刻んでおきましょう。たしかに目標達成のために必要なことを甘く見積もっていたかもしれませんが、**ここまで成し遂げたことが否定されるわけではありません。**

そして、あなたの夢は、その小さな試験でAをとることではなく、目標はもっと大きく、長い道のりの先にあるはずです。1回のつまずきであきらめている場合ではありません。

それでも、失敗したテストに向き合うのにひどく抵抗があるようなら、次に紹介する方法を試してください。

最初の抵抗感を減らすため、まずは間違いの分類だけをやろうと決めてください（脳に効く方法49を参照）。すぐに正解を調べると自分の解答を正当化したくなりますので、やめましょう。間違った問題を分類することだけに徹します。

情けなくなって自分を責め始めたら、「私がやっているのは、勉強のできる人が試験の後にやることと同じことなんだ。気分はよくないけれど、やるべきことだ」と声に出して言いましょう。

それから時間を置いて、今度は自分がなぜその問題を間違ったのかを正確に把握するために、課題図書や（必要に応じて）自分のノートに書かれた内容を見ましょう。このときに、先ほど行った問題の分類を変更してもかまいません。その後また時間を置いて、自分の間違いに共通点があるかどうかを確認しましょう。

さっさと終わらせてしまいたいのに、作業をこうして別々の時間に分けるのは気が滅入るかもしれませんが、作業を細かく分けると、それだけ怖さも減りますよ。

ポイント

頭のいい人はミスをしない？　彼らもまた解答を間違うことはあるが、自分の間違いに進んで向き合い、そこから学んでいる。

第10章

計画を立てる

大学生を対象に調査したところ、「勉強するときに、取りかかるものをどうやって選んでいますか？」という質問に対してもっとも多かった回答は「とりあえず締め切りが近いものに取りかかる」でした。

ここで押さえておきたいのは、計画には2つの側面があることです。すなわち、適切なときに忘れずタスクを実行すること、およびタスクを完了するのに十分な時間を確保することです。

まず、何かを忘れずにやるのに必要なのが「**展望記憶**」です。展望記憶とは、未来に何かをやろうと思い、それを忘れずにやるときに求められる記憶を言います。たとえば、朝に車のガソリンがあまりないことに気づき、「帰宅途中でガソリンを入れなきゃ」と思うとき、この記憶に頼ることになります。また、薬を飲むとき（たとえば薬を5日間、1日3回飲む必要がある場合など）に使っているのも展望記憶です。

もちろん、ガソリンを入れ忘れたり薬を飲み忘れたりすることがあるように、展望記憶がうまく機能しないことはあります。それを防ぎたければ、記憶に頼らなければいいのです。

その代わり、適切なときに行動を起こせるようリマインダーを設定しておきましょう。先ほどの例で言うと、ハンドルにメモを置いておけば、帰宅するときにそれが目に入りますし、薬を飲む時間にスマホのアラームを設定しておいてもいいでしょう。

次に計画の2つ目の側面ですが、これは、活動を完了するのにどれだけ時間がかかるかを判断するということです。ただ、**人は物事を終わらせるのにかかる時間を甘く見積もってしまう**もので、これを「**計画の錯誤**」といいます。巨大な公共建築物が建てられるとき、毎度のように完成が遅れ、予算オーバーしているのはこのためです。たとえば、シドニーのオペラハウスは1963年に700万豪ドルの工費で完成予定でしたが、実際にオープンしたのはその10年後で、工費は1億200万豪ドルにまで膨れ上がりました。

こうなるのは、プロジェクトの計画者たちが無能だからではなく、**問題が起こってもなんとか解決できるはずと、自分たちのやり方を過信しているから**です。

たとえば、オペラハウスでは建築時に雨水の排水システムが機能せず、それが遅れの原因にもなりました。また、人は問題が起こりそうもないと思うと、それをまったく無視してしまうこともよくあります。

問題は、複雑なプロジェクトになると遅れの要因になりうるものがたくさんあることです。1つひとつを見ると起こる確率が低いので無視してしまうのですが、ひとまとまりになると、そのうちどれかは起こる可能性が高くなりますね。

この問題は簡単に対処できます。現実的に考えて、自分が必要だと思うよりも多くの時間を学習に割り当てればよいのです。

展望記憶の失敗を防ぐのには、もう少し手がかかります。やるべきことを書き留める習慣と、やることリストを確認する習慣を身につければいいのですが、習慣を身につけるにはかなりの根気強さが求められます。

計画を立てるとき

✕ **脳がやりがちなこと**　計画した学習を終わらせるのに十分な時間をとらなかったり、計画したことを忘れてしまう。

○ **脳をフルに活かすと**　いつまでに、どれだけの学習を終わらせられるかを把握できるように、簡単な習慣をいくつか身につける。

脳に効く方法

54 よく眠る

どういうわけか、眠らなくても何とかなる、週末にまとめて眠れば大丈夫などと思っている人はいませんか。食事や呼吸といったことは無理がきかないのに、睡眠では無理をしてしまうのはなぜなのでしょうか。

睡眠は人の認識能力に直接影響を及ぼします。睡眠が不足すると、次の日にものを考えるのが難しくなり、集中しづらくなるのは、知ってのとおりです。また、気分にむらが出やすくなり、人づき合いにも影響が出ます。

驚くべきは、**睡眠不足によって前の日の学習も台無しになってしまう**こと。今日学んだことは今日の分の記憶へ入っていきますが、そこでは記憶を「ゲル化」して、定着させようとする別のプロセスが行われています。このプロセスは睡眠に左右されます。つまり、寝ないと前日に学習した内容が〝ムダ〟になってしまうのです。

アメリカ疾病予防管理センターによると、ティーンエイジャーは一晩に8～10時間の睡眠が、成人は7〜9時間の睡眠が必要だと言います。人が実際にどれくらい睡眠をとっているのかは研究によってマチマチですが、その50パーセントもとれていないと考えられます。

睡眠が不十分となるおおかたの理由は、遅くまで起きているためです。早朝、目覚ましが鳴る前に目が覚めてしまうのが問題なのではありません。望む以上に夜ふかししてしまう場合もありますが、多くはただ、寝るべき時間に眠気を感じないからです。なぜでしょうか？

身体は、「寝る時間だよ」と知らせる2つの合図に反応します。その1つが体内時計で、特にコルチゾールと呼ばれるホルモンの分泌に関わるもの。コルチゾールは目覚ましのようなものです。身体は朝に多くのコルチゾールを分泌して、夜には分泌量を減らします。体内時計に一番気づきやすくなるのは、時間から解放されたときです。たとえば、ロンドン市民が旅行でトロントへ行くと、現地は午後6時でも、身体は午後11時だと思うので、眠くなることがあります。10代のころは、コルチゾールの分泌量がさほど上下しません。ティーンエイジャーが夜眠くならず、朝になかなか起きられないのは、1つはこのためです。

また、身体は外の世界の合図にも注意を払っています。たとえば、夜のルーチンとして歯を磨く、顔を洗う、パジャマを着る、照明を落とす、数分間読書するということをしていた場合、身体はそのルーチンを覚え、この5つのことをやったら、寝る時間だと認識するようになります。

ある研究では、良質な睡眠をとるために具体的な手段をすすめています。朝、何時に目を覚ますかを自分で制御することはまずできませんが、早く眠りにつけば多く眠ることができるように、外部の合図は比較的簡単に変えることができます。

たとえば、時差ボケが治るときのように、内部の合図はそれに後れを取るものの、最終的には外部の合図に適応します。外部の合図を変える方法をいくつか紹介しましょう。

1 決まった時間にルーチンをつくる

身体がルーチンを覚えるには時間がかかりますが、取り入れれば、早く眠りに入れるようになります。決まった時間に眠るようにするというのも、このルーチンの一部です。慣れてくれば、体内時計がルーチンに調子を合わせるようになりますので、身体があなたをいつ眠くすればいいかわかるようになります。

2 眠る前の1、2時間は、パソコンやスマホの画面をみない

画面の光によって脳が昼間だと勘違いし、体内時計が狂ってしまいます。なかなか寝つけずにスマホを見てしまう人は、「眠れないからスマホをみてしまう」と思いがちですが、実際は逆で、**スマホをみているから眠れない**のかもしれません。

3 とりあえず横になる

奇妙に聞こえるかもしれませんが、身体に矛盾したメッセージを送るべきではありません。寝る時間を決めたのなら、その時間に寝るようにしましょう。

間違っても5分間だけ寝てムダだと思い、起きたりはしないでください。ただ目を閉じて静かに横になり、身体を休めることはできていると思いましょう。

4 寝る時間をゆっくり早めていく

とはいえ、眠りにつく目標時間は常識で考えましょう。いつもは午前2時ごろに眠りについている人が、午後11時には寝たいとき。10時59分にベッドに入って、じっと横になるのはやめてください。

いつもより30分か15分、早く寝ることを目標に。まずは午前1時45分にベッドに入

るようにして、それを1週間か、もっと長くかかったとしても、その時間に眠りにつけるようになるまでは続けます。そうしたら、今度は午前1時30分にします。このように、徐々に時間を早めていけばＯＫ。

5 昼寝をする

もちろん、どうしても昼寝ができない人もいるでしょう。ただ、できる人には睡眠時間を確保するいい手段となります。特に、夜遅くにやりたいことが多い場合は有効。昼寝からの寝起きがだるいのは、深く眠った証拠です。昼寝は20分以内に収めて、くつろぎすぎない体勢（安楽椅子など）でとるようにしましょう。そうすれば、深く眠りすぎるのを防げます。

ポイント
睡眠は学習に直接影響を与える。長く眠れなくて悩んでいる人は多いが、対策を講じることはできる。

脳に効く方法

55

毎日、まとまった時間でやる

机に向かって勉強するとなったとき、ただ、締め切りに近いものから手をつけている人が多いと前述しました。このやり方は次の3つの点から望ましくありません。

第一に、勉強が詰め込みになってしまいます。水曜日が期限のものを勉強するので火曜日が手一杯になり、木曜日が期限のものを勉強するので水曜日が手一杯になっていたら、金曜日の小テストの勉強を始めるのが木曜日の夜になってしまいますね。

第二に、「明日が期限のものは?」という確認の仕方が習慣になっている人が、「明日は何もなし」となったら「じゃあ、1日休みだ」と思うのでは? こんなやり方をしているといずれ、計画的に勉強しようと思うこともなくなります。

第三に、外から決められた締め切り(テストなど)を頼りに勉強をしていると、それが習慣となり、学校を卒業した後に修正するのが難しくなります。

たとえば、今後のキャリアのためにプログラミングの勉強を独学すると考えてみてください。この先ずっと、試験が迫ってきたときにしかやる気にならないのなら、緊急性がない勉強に時間を割こうと思わなくなるのです。

したがって、タスクではなく時間をもとに学習計画を立てるようにしましょう。勉強のために毎日、まとまった時間をあてるのです。明日が期限のものや、その後数日間で期限がくるものとは別に、もっと先の課題に取り組みましょう。

この時間は変えないこと！　つまり、**予定が入ったり、他に重要と思うことがあるからといって、その日は〝なし〟にしない**ということです。

タスクではなく時間をもとに計画を立てることには、次のような利点があります。

・何を学習するのであれ、数日間に分けてやったほうが記憶しやすくなります。これは睡眠や、分散すること（脳に効く方法38を参照）がいい影響をもたらすからです

・学習を分散させるのにかかる時間を見誤った場合や、想定外のことが起こった場合（例：家庭の事情で実家に数日帰らないといけなくなった）でも、融通が利くようになります

計画の誤算を防ぐためには、課題が1つ終わったら、期限に十分な余裕をもって次の課題に取り組みましょう。

「まとめてやる」VS「毎日やる」

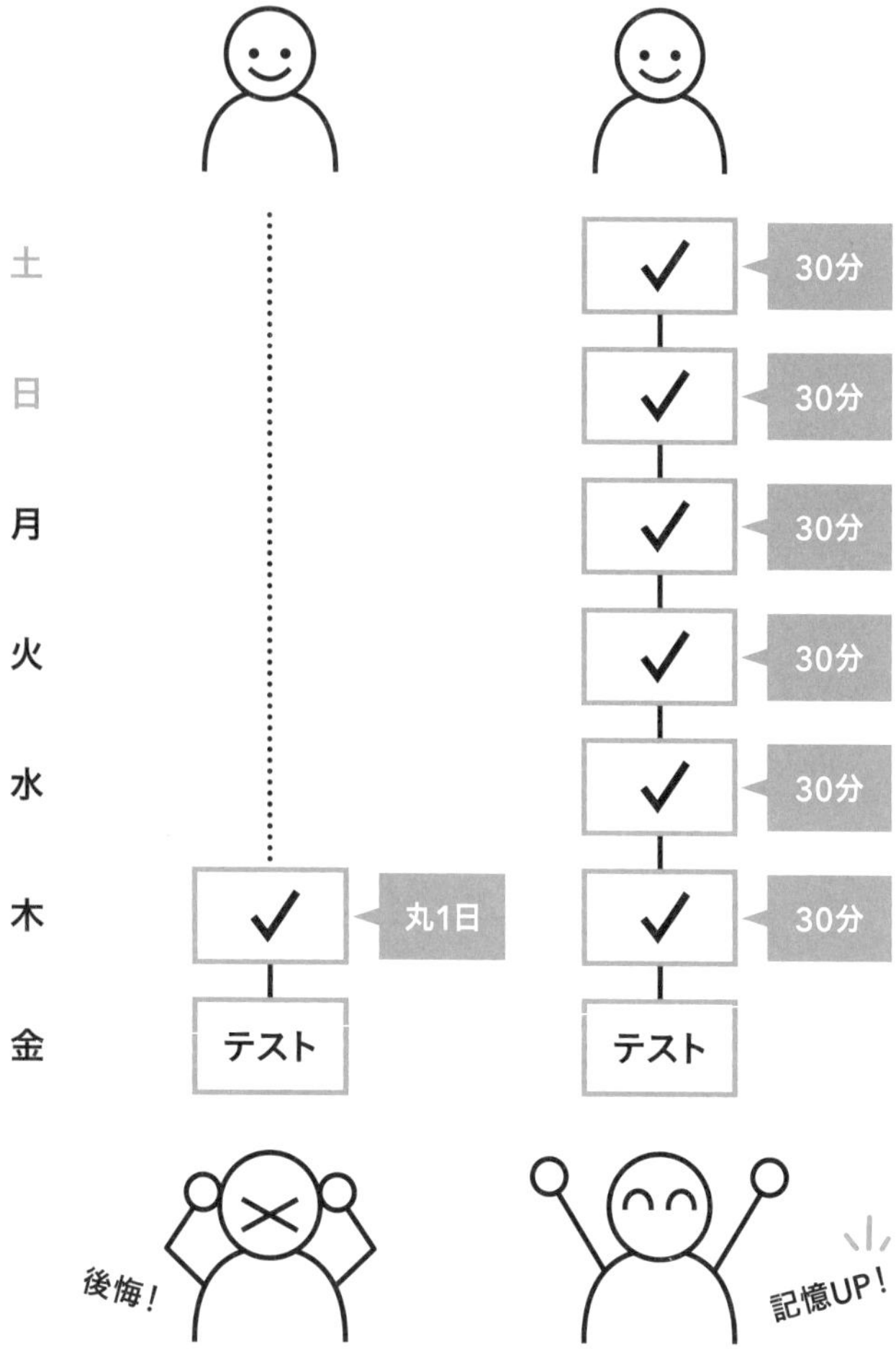

そのためには当然、毎日まとまった十分な時間を学習にあてます。幸い、このやり方をしていると勉強時間が十分かどうかに気づくことができます。たとえば、スケジュール帳をみると、2日後に数学の小テストがあったとします。この日は、そのテストの勉強を何もしておらず、決めておいた勉強時間はもう終わっています。さて、どうすればよいでしょうか？

その日の学習時間が終わっていたとしても、小テストのためにもう少し勉強をするべきです。むしろ重要なのは、**毎日の学習時間を15分か30分でも増やしていく**ことなのです。そう、たとえ時間が足りないのがこのときかぎりだったとしても。

先に勉強を始めておいて後悔することは絶対ありません！

ポイント　課題ごとに学習計画を立てるのではなく、毎日決まった時間に勉強する習慣を身につける。

脳に効く方法

56

スケジュール帳を使う

毎日午後7時30分に机に向かい、これから2時間勉強しようというときに、「今日はどの課題に取りかかろうか?」と思ったとします。

これを決めるには、自分にどんなタスクが課されているか(もしくは自分で課しているか)と、それをいつまでに終わらせなければならないかを把握する必要があります。そうした**情報は1カ所に書いておき、一度にすべてを確認できるようにしてください。**とりわけ、課題図書や、ノートの再構成、テスト勉強などやるべきことが多くある場合は必須です。

スケジュール帳の使い方をネットで検索すると、4色の蛍光ペンを使ってさまざまな予定を目立たせる方法や、カッコいい文字の書き方などが紹介されています。また、複数のリスト(1日のやることリスト、週のやることリスト、月の計画表のほか、誕生日、読書、参考文献、プレゼントのアイデア、買い物などのリスト)を並行して使うことが提案されています。

しかし、生来、無秩序や混沌のほうが向いている私はやっていません。素朴なスケジュール帳で管理しています。

スケジュール帳を使うときには2つのルールがありますが、それさえできれば他のことは気にしなくてかまいません。

ルール1：スケジュール帳は常に持ち歩く

いつ、課題やイベント、空港への出迎えなどの予定を組む必要が生じるかわかりませんので、持ち歩くようにしてください。スマホを使うのも悪くない選択です。持ち歩くように習慣化できるのであれば、紙と電子、どちらを使ってもかまいません。紙のスケジュール帳を持ち歩くのを忘れてしまう場合は、前の晩に玄関ドアの側に置いておきましょう。

ルール2：タスクはすぐにスケジュール帳へ書き込む

タスクを知ったときにすぐ記録しましょう。忘れてしまいそうであれば、各授業の終了時間の2分後にスマホのアラームを設定しましょう。それで授業の課題が抜けることはなくなります。

準備が1日で終わらないタスクについては、そのリマインダーを1日ごとのスケジュール帳にすぐに書き加えるようにすれば、(週や月単位のスケジュール帳を追加することなく) 1冊のスケジュール帳だけでやりくりできます。

たとえば、9月28日に数学の小テストをやると先生が告知した場合、そのとおりにスケジュール帳に書き、9月23日に「5日後に数学小テスト」、9月25日に「3日後に数学小テスト」と書き加えます。期日前にこうしたリマインダーを入れるのは非常に大事で、計画の錯誤を防ぐのに役立ちます。

なお、タスクのメモは別の「やることリスト」には書かず、スケジュール帳の関係する授業のある日のところに書くようにしてください。課題とその締め切り日を別々にメモするのは意味がありません。机に向かって勉強するときには、まず何を優先すべきかを判断しなければなりません。

試験の採点期間の始まりに課題を大量に出されたら、すぐにスケジュール帳に書き込むようにしましょう。課題図書や再構成する予定の授業ノート(4章を参照)についてもスケジュール帳に書き込みましょう。また、学校の日程表を手に入れて、休日や重要な学校行事などをメモしましょう。毎日、どれくらいの時間を勉強にあてるか、計画を立てましょう（脳に効く方法55を参照）。

イベントの予定をスケジュール帳に書き込むのも忘れないでください。書き込むのは、飲み会や友だちと会う約束のようなことだけではありません。観たいサッカーの試合や、好きなアーティストが新曲を出す場合なども、それにかかる時間を割り出しましょう。**時間を要することすべて**です。

ポイント

スケジュール帳を使っていないのなら、ぜひ使い始めよう。時間の管理や学習の優先順位の決定に欠かせない。

脳に効く方法

57 時間ごとの「やることリスト」

私はさほど几帳面ではありませんので、日常の細々したこと（靴下を切らさないよう洗濯するとか）まで「やることリスト」に書いておくタイプではありません。

とはいえ、学習となると話は別です。時間ごとにやることリストをつくってください。次のやり方が参考になるでしょう。

① やることリストの1番目には常に「今日のやることリストを書く」と書く。必須の日課にする
② 昨日のやることリストを見て、終わっていない項目を今日のリストに加える
③ スケジュール帳で課題を見つけ、必要に応じてやることリストに入れる。スケジュール帳をちゃんと使えていれば、現在の日付に「今日から1週間後に政治学の試験、7～11章」のような、今後の課題や試験についてのリマインダーが

書かれているはず。そうしたリマインダーを再確認するいい機会だ。2、3週間先まで確認すること

④大きめのタスクは、必要に応じて小さく分割する（詳細は11章を参照）

⑤「やることリスト」を見渡して、どのタスクから手をつけるか順番を決める

⑥取り組んでいる最中に新たなタスクをやる必要があることに気づいたら、それをリストに加える。たとえば、テストの準備で参考書を作成しようとしたときに、授業ノートの再構成をし忘れていたことがわかったら、それをリストに加える

「やることリスト」を書くのは、実際は10分もかかりませんし、次にやるべきことが常にわかっているので、結果として時間を節約できます。タスクを1つ終えるたびに「よし、次は何だ？」と決断をするよりも、一度に順番を決めてしまったほうが効率的です。

これは**タスクの「重要度ランキング」**なのです。リストにあるタスクがすべて終わらないこともよくありますし、終わったとしても、それで学習時間が終わりというわけではありません。次に何をやるべきか、スケジュール帳を調べましょう。

「やることリスト」があると、あるタスクに取り組んでいるときに、他にやるべき重要なことがあるのに見落としているんじゃないか、という心配が1つ減ります。タスクに優先順位をつけ、もっとも重要なことに取り組んでいるのですから。

また、勉強時間が終わったときに、結局何もできなかったという気分になったことがあるのは私だけではないはずですが、「やることリスト」を見直すことで、やる気の回復にも役立ちます。

問題を魔法のように解決してくれることはありませんが、少なくともリストを見たときに「**思ったように進まなかったけど、これだけやるべきことをやったんだ**」とは思えます。そうやって達成したことに自信を持つための時間を持つことを、ちょっとした決まりごとにしてください。

ポイント 勉強時間ごとに「やることリスト」をつくると、集中力を保つことができ、一番重要なことに取り組んでいるという安心感を得られる。また、やり遂げたことを可視化できる。

脳に効く方法

58

定期的に見直す

この本で扱っているのはおもに〝数週間単位〟の学習法ですが、計画性の点から言えば、〝数年単位〟で何を学ぶかを選択することが大事です。

年齢をへるにつれて学習に関して自分で責任を持たなくてはなりませんが、そのことに無自覚な学生および社会人は、大きな選択を不意に迫られることになります。ある数学嫌いの学生が、最低限の卒業要件に達したところで数学の授業を取るのをやめました。しかし、進路を選択する段になって、志望先のデザイン系の大学で数学の知識が求められることがわかる――ということもありえます。

長期的な目標をリストにして手元に置いておきましょう。10年後にはどんな仕事に就いていたいですか？

特に考えがない場合は具体的に書く必要はありません。ただし、大まかな分類（金融、機械系や芸術系の仕事など）は考慮してください。興味のある分野の仕事は、自分が理想とする生活と両立しますか？　その仕事はどこにいても続けられますか、それとも転勤が必要になりますか？

目標に加えて、それを達成するのに学ぶ必要のあることをメモしましょう。その際、目標から逆算して考えるとよいでしょう。「最終的にここにたどり着くには○○をする必要がある。それに備えるには、最初に□□をする……」

次に、**目標に近づくために、今できる具体的な行動を1つか2つ書きましょう**（例：専門家に話を聞く、キャリア関連書を読む、オンライン授業を取る）。

臨機応変であることに加え、**計画には適度に疑いの目を持つようにしましょう**。

インターネットはすばらしいツールですが、グーグルで「ソフトウェアエンジニアになるには」と検索してみても、行き着くウェブサイトがその道のプロによって書かれていることはあまりありません。それは、ひともうけしてやろうと思った人が書いたものです。

ネットの情報だけで判断するのではなく、自分がなりたい職業に実際に就いている人に話を聞いて情報を補うようにしましょう。知らない人にそんなことを頼むのは申し訳なく思う学生もいるかもしれませんが、大丈夫。たいていの人は喜んで自分の仕事について話してくれますし、力になりたいと思っていいます。

目標のリストはだいたい6カ月ごとに見直しましょう。その目標に変わりはないですか？　6カ月前には、次にどんな行動をとると言っていましたか？　行動はうまくいきましたか？　そろそろ進路について考え直すか、次の行動についてもっと情報を集めるべきではありませんか？

自分の目標への進み具合を確認している人は、それをやっていない人に比べ目標を達成する可能性が高くなることが研究で明らかになっています。

具体的な行動を計画してメモすることが大切なのもこのためです。

ポイント

将来就きたい仕事に関わる学習の長期的な目標を立てる。その目標を6カ月ごとに見直し、進み具合や調整の必要があるかどうかを確認しよう。

脳に効く方法

59 具体化する

実際に行動を起こし、できるかぎり目標を実現に近づけるには、どうすればよいでしょうか？

この種の目標を実現するのが難しいのは、それがおまけのようなものだからです。実現できたらすごいけれど、今、絶対にやらないといけないことではない——実現できなくても別に困りはしないし……。

研究では、目標を実現する可能性を高める方法がいくつかあることが明らかにされています。

第一に、自分の計画をもっと具体的にすること。

「6カ月の間にアメリカのビジネススクールに行っている人に話を聞いてみたい」ではなく「6カ月の間にまず1人から話を聞き、その人から別の人を紹介してもらってさらに話を聞く」というように詳細なスケジュールを組んでください。

また、不動産業界に就職したい人なら、1カ月目は不動産会社に入りたての知り合いをランチに誘う、2カ月目は不動産のオンライン入門講座を3つ見つける、といったふうに考えてみます。

加えて「プランB」をつくりましょう。話を聞けるビジネススクール卒業者がなかなか見つからない場合、アメリカに留学経験のある人に相談します。また、不動産会社の知り合いからあまり実りのある話を聞けなかったら、できるだけ多くの情報を求めていることを伝えて、会社に15分くらい話をさせてくれる人はいないか尋ねます。

これらはおもに外的なきっかけを探す計画ですが、もっと大切になるのはあなた自身の内側の計画です。

たとえば、不動産会社の知り合いをランチに誘えたとしても、それだけでは自分が本当に興味のある話題に会話を持っていくことはできません。ここでも肝心なのは前もって計画を立てておくことです。研究によると、「こうしたら、次はこうしよう」（If-Then形式）というふうに計画を立てるとうまくいくことがわかっています。

たとえば、「もし、ウェイターが注文を取りにきたら自然に会話が途切れる。そのときまでに自分の計画を持ち出せなかったら、ウェイターが離れるときをねらおう」というように考えるのです。

計画が具体的だとうまくいくのはなぜでしょうか。

実は、記憶は衰えなくても、問題を解決する能力は衰えることがあるからなのです。目標を定めた瞬間は気力があり、どうすれば目標に手が届くかを考える心の余裕があります。ところが、時間がたったのちに疲れていたりやる気に乏しかったりすると、問題を解決する能力が下がります。

しかし、**記憶は気分や気力の状態にあまり影響を受けません。**そのため、事前に計画を立てておくと（「やることリスト」をつくっておくと）、それを思い出して実行すればいいだけです。

問題を解決する能力と記憶の違いがいっそう明らかになるのは、問題が勃発したとき。不動産会社の知り合いとのランチで、緊張して話題を切り出せないとき（これこそがランチに誘った理由なのに！）、そこでまた1から計画を練り直す余裕はありませんね。しかし、心の余裕がなくても、事前につくっておいた計画を思い出すことはできます。

ポイント

目標達成のために、どんな行動を起こすか具体的に計画し、行動の妨げとなりうる（内的または外的な）問題を予測する。問題が起こった場合の行動計画もつくっておくとよい。

第11章

先延ばしに勝つ

先延ばしの心理は複雑なものではありません。要は、そのほうが楽だからです。苦痛なこと（例：数学の問題集を解く）を先延ばしにして、楽しいこと（例：スマホでゲームをする）をやろうとするのです。そのタスクが嫌であればあるだけ、または他のことが魅力的であればあるだけ、先延ばしをしがちになるのも不思議ではありません。

ただ、この問題が少々厄介なのは、未来に想定する楽しみや苦痛が今の楽しみや苦痛と同じパワーを持たないからです。たとえば、医者から砂糖の摂取量に気をつけるよう言われているときに、「1週間後、デザートにケーキを持ってくるけど、いかがですか？」と聞かれたとします。この場合断るのは簡単でしょう。ケーキという楽しみにさほど引かれないのは、それが1週間後のことだからです。

しかし、ケーキを今あげると言われたら、断るのがずっと難しくなります。同じように、苦痛なことが遠い未来に起こるとしたら、怖くはありません。たとえ歯医者に行くのが嫌でも、6カ月後の歯科検診ならさほど怖がらずに予約をするでしょう。しかし、受付の人が「実はキャンセルが入りまして……今からいらっしゃいませんか？」と言ったら、どうでしょうか。

このように、いつそれが起こるかによってその価値は変わります。

これは対象が数学の問題集であっても同じことで、今すぐ取りかかるのはネガティブに感じますが、未来にやることにしたらそれが薄れるのです。

また、衝動を抑えられるかどうかも大事です。衝動とは、脳が目先の欲を満たすために起こす企てであり、長い目でみるといい結果を生まないもののこと。お店にめちゃくちゃおいしそうなチョコレートケーキがあるのをみたら今すぐ注文したくなる、あるいは車を運転していて割り込まれたら、その車に幅寄せして道路から追い出してやりたい衝動に駆られる、といったことです。

衝動をどれだけ抑えられるかは人によって異なり、先延ばしをしてしまうかどうかにも大きく関わっています。

先延ばしを減らすには、①勉強が他のことよりも魅力的に思えるようにする、または、②衝動的に行動する機会を減らす、という対策が考えられます。

先延ばししたくなるとき

✕ 脳がやりがちなこと　課題をやるのは苦痛だけど、後回しにしたらそれが薄まると判断する。さらに、勉強の代わりに楽しいことを今すぐやるのにとても魅力を感じるが、後でやるのにはそれほど魅力を感じない。したがって、勉強は先延ばしされ、楽しいことが選ばれる。

脳をフルに活かすと

勉強をあまり苦痛だと思わないようにし、勉強の代わりにやってしまうことをさほど楽しくないと思うようにする。要は、どう自分に言い聞かせるかにかかっている。

脳に効く方法

60 意志よりも、習慣に頼る

朝起きて、コーヒーを効率的にいれる方法はないかな……とじっくり考えることはありませんし、あえて利き手ではない手で歯を磨こうとは思わないですね。1日のうち、大半のことが無意識のうちに行われています。

行為が完全に習慣化すると、たいていはそのルーチンを始めようと思うことすらありません。先延ばしにすることがないのは、そこに選択をはさまないからです。

毎日まとまった時間を勉強にあてようと前述しましたが（脳に効く方法55を参照）、理想を言えば、寝る前に歯磨きをするくらい習慣的に勉強を始められるようにしたいところです。

では、どうすれば行為を習慣にできるかと言うと「くり返しやり続ける」というのがその答えです。重要なポイントをいくつか押さえておきましょう。

第一に、**個別の行為として行うのではなく、流れのなかで行うほうが習慣化しやす**

くなります。

習慣は、合図によって引き起こされるという点において記憶と似ています。その環境（あるいは心の中）において何かが起こると、それが「これを今やりなさい」という合図となって心の中の行動計画に働きかけます。

お風呂では身体を洗って、シャンプーとリンスをして、ひげを剃って、というようなルーチンがあると思いますが、こうしたことは1つの行為の終わりが、次の行為への合図となっています。

もっとも「6時35分になったから」は合図にすべきではありません。時間が合図としてよくないのは、時計をじっと見続けるわけにはいかないからです。反対に、行為の終わりは自分ではっきりと認識できるからです。

まず何が合図として機能しそうかを考えてみましょう。高校生であれば、「夕食後、キッチンの片づけが終わったら」とか「放課後のおやつを食べ終わってから」というのを合図にしてもよいかもしれません。

毎日確実に行うことを合図としてください。もし夕食後の片づけをきょうだいと交代で行っているのなら「夕食後、キッチンの片づけが終わったら」は合図としてふさわしくありません。

また、習慣化を早めるには状況をかしこく選ぶことも大切です。1日のうち、いつも変わらず確保できる時間を学習にあてるようにしましょう。放課後に友だちと集まることが多いなら、「学校から帰ってきたら」としないでください。

もっとも、「土曜日に運動した後」であれば、運動する時間がまちまちでも学習時間に設定してかまいません。習慣になっていれば何時に起きても意識せずそのままシャワーへ行くのと同じで、合図――この場合は土曜日の運動を終えて帰宅すること――さえ変わらなければルーチンになるのです。

では、実際に習慣を身につけるのにはどれくらい時間がかかるでしょうか。

過去に、被験者にお金を払って習慣を身につけてもらうという実験が行われています。被験者には、健康的な飲酒や飲食、あるいは運動に関する行動を自分で選んでもらいました。新しい行動が習慣になったと感じられるまでにかかる日数は、平均で66日でした。もっとも、日数のばらつきは18～254日と大きく、この日数は、どんな習慣を身につけようとしているのか、その人の性格、および習慣とその人との相性に左右されると考えられます。

私が大学生に提案したいのは、大学を9時～5時の仕事だと考えるようにすることです（この定時は自分に合うように変えてもらってかまいません）。月曜日から金曜日までの40時間は洗濯もしないし、友人との約束も入れません。授業に出るか、勉強する時間とします。

学習時間を習慣化するための66日間（あるいは習慣化するまでの時間）は、意志の力に頼る人が多いのですが、意志は気分や心理状態、環境によって揺れ動きます。では、どうすればいいのか……次で詳しくみていきましょう。

ポイント

勉強時間を習慣化すれば、勉強するかどうかをいちいち考えなくてすむ。これこそ、先延ばしに打ち克つ究極の方法だ。

脳に効く方法

61

20〜60分で終わることをする

千里の道も一歩から――『老子』64章

人は壮大な目標を前にすると怖気づいて、一歩を踏み出せません。**もっと小さな目標に切り分けることが肝心**なのです。

そうすると、うまくいくのはなぜでしょうか。人は何を手に入れるかを選ぶとき、それがどれだけ好きか（嫌いか）だけでなく、どれくらいの確率でそれが手に入るのかも判断の材料にします。

たとえば、チョコバーと10万ドルのどちらを選ぶかと尋ねられたら、その答えは言わずもがなでしょう。しかし、チョコバーを選んだら確実に手に入るけれど、10万ドルを選んだら手に入る確率は0・000036パーセントだと言われたら、どうでしょうか。

もっと現実味のある例にしましょう。チョコバーを買える1ドル札か宝くじ1枚どちらかをもらえるとしたら、どちらを選びますか？　大金を得たいという気持ちはあっても、宝くじ1枚でそれがかなう確率は非常に低いでしょう。私なら確実に手に入るチョコバーのほうを選びます。

このように、**課されたタスクがうまくできないと思うと、先延ばしにしがち**です。脳に効く方法57では、勉強時間ごとにやることリストをつくることを提案しました。やることリストの各項目は、20〜60分で終わるくらいにまで小さくしましょう。勉強のタスクを、どういうふうに分割すればいいかわからない場合は、それを理解することをやることリストの1項目にしましょう。場合によっては時間もかかるでしょうから、それも勉強の一部だととらえ、「経済学の学習計画を立てる」などと、やることリストに書いておくのです。

ここで、大きなタスクを小さく分ける際のヒントを出しておきます。提案したいのは次の3つの考え方です。

タスクには、段階またはステップに分けて考えるのがよいものがあります。

たとえば、プロジェクトのレポート作成は、調査、構想、執筆、編集という4つの段階に分けられます。また、ここまでの章では試験の準備について、参考書をつくる、参考書を覚える、勉強会を開く、過剰学習（内容を理解した後も勉強し続けること）をする、というステップを踏むことを提案しました（こうした段階の1つひとつも大きなタスクとなるため、実際に取りかかる際にはさらに分割してください）。

ステップの順番どおりに行うのではなく、カテゴリーごとに行ったほうがよいタスクもあります。

また、勉強における「参考書をつくる」段階でも、このような切り分けをすることができます。つまり、授業1、授業2、授業3をカバーする参考書をつくる場合、その順番どおりではなく、好きなところから書いていくこともできるのです。

また、部分に分けざるをえないタスクもあります。つまり、タスク全体としては巨大なものを、あえて細かく分けることで扱いやすくするのです。プロジェクトのレポートを書く段階にいるのであれば、その段階を部分に分けることができます。5つの問題のかたまりが3つあるような課題であれば、15の問題に分けて考えてもよいでしょう。

タスクを段階、カテゴリー、部分のいずれに分けるのであれ、分けたタスクは具体的に書くようにしましょう。タスクに取りかかるときに、何をすべきかを考え込まなくてすむことを目指しましょう。

たとえば、タスクを「政治学の小テストを見直す」と書いてはいけません。どうやって見直すのでしょうか？　これでは、テストを読み直すのか、ノートを読むのか、それとも要点をまとめるのか、はっきりしません。

タスクは具体的で、比較的短時間で終わるものに。本項目の見出しで「20〜60分で」と言いましたが、これは絶対ではありませんし、研究に裏づけられた数字というわけでもありません。

「簡単だ、大したことない」と自分に錯覚させるためなら、こだわらなくていいのです。

ポイント　やり遂げられそうなタスクには、あまり先延ばししようという気持ちは起きない。したがって、やることリストの各項目は、20〜60分でできそうなものにしておく。

脳に効く方法

62 やめてもいいから始める

人は、驚くほど自分の感情を予測するのが下手です。もちろん、誰かにかわいいと言われているのが耳に入ったら気分がよくなるとか、おもしろくないと言われたら傷つく、といった程度のことはわかるでしょう。

人は、感情がどちらの方向へ反応するか（ポジティブなのか、ネガティブなのか）はだいたいわかります。ただ、その強さや長さは過大評価しがちです。

ところで、**感情の過大評価は先延ばしにも関係があります。**ある心理学者らが、人がエクササイズを先延ばししてしまう理由を検証した結果、「面倒くさいから」というのがその理由の1つでした。しかし、実際にやってみるとそうでもないのです。勉強だって同じ。**取りかかることさえできれば、自分が思っていたほど面倒ではないとわかる**ものなのです。

自分を「やめてもいいから始める」気にさせるには、「5分間だけ勉強しよう。それで嫌になったら、やめてもいい」と自分に言い聞かせるのも1つの手。

私の姉がジョギングを始めたときも、同様でした。ランニングウェアを着て家の敷地の端まで行っただけでも、ジョギングしたうちに数えたのです。途中で中止した場合でも「今日はジョギングできた」としました。もちろん「外に出たくない」と思うときもありましたが、家の前の道路まで行ったら95パーセントくらいの確率で走り続けることができ、実際に走ってみると、それほど嫌だと感じませんでした。

席について勉強するのがなかなか難しい場合は、「今日のやることリストをつくろう。リストをつくり終えて休憩したくなったら、すればいい」と自分に言い聞かせてみましょう。やることリストを書き終えたら、項目のうち1つか2つは取りかかるのがさほど難しくなさそうなものがあるかもしれません。

ただし、リストをつくった後で休憩したいと思ったら、本当に休憩を取るようにすることが大事です。**肝心なのは「すぐにやめてもいいのだ。取りかかるだけなら難しいことではない」と思えること**なのです。

ポイント
勉強を始めたとしてもすぐに休憩してもいいと思うことで、始めるのがイヤだという気持ちが和らぐ。

脳に効く方法

63 他人に宣言する

人間はきわめて社会的な存在です。私たちが行うことの多くは、他者とともに行うものです。1人で何かをやるにしても、人が自分をどう見るかを考えずにはいられません。これをやったらあの人は褒めてくれるかな、怒るかな、それとも喜ぶかな――。

先延ばしをしてしまうことに悩んでいる場合は、SNSを利用して対策してみましょう。

まずは友だちに「今、勉強を計画どおり進めようとがんばってるんだ」と伝えてみます。ここで期待したいのは、その友だちが自分に責任感を持たせてくれること、およびサポートをしてくれることの2つです。

恥をかくことで、責任感が働く場合があります。「先延ばしをやめる！」と宣言して、1週間もしないうちに口ばかりだったとバレてしまうのは、恥ずかしいですよね。

勉強会に参加することでも責任を感じることができます（脳に効く方法20を参照）。授業ノートを比較し、次の試験について話し合うとき、他のメンバーはあなたが試験準備をしてくることを当てにしています。仲間に対する責任感から、課題の締め切りを守れることもあるでしょう。

また、SNSを通じて、友だちがサポートをしてくれることもあります。必要となるサポートは状況によってさまざまです。心理学ではこうしたサポートを次の4種類に分類しています。

情緒的サポート：共感を示したり、気づかったりする感情面でのサポート。悩んでいるときに、友だちが親身になって話を聞き、がんばるよう励ましてくれる。

情報的サポート：アドバイスや提案、情報を提供したりするサポート。たとえば、先延ばしに打ち勝つ方法を教えてくれて、目標達成のためのウェブサイトを一緒に探してくれたりする。

実践的サポート：努力を直接助けてくれるサポート。たとえば、「勉強しろ」と誰かにきつく言われたときに味方になってくれる。また、試験前日の午後にちゃんと勉強しているかを確認するため連絡をくれる。

評価的サポート：自己評価の助けになる情報を与えてくれるサポート。たとえば、自分の努力がうまくいっているかについて、友だちが客観的な意見を言ってくれる。
また、かつて自分を変える決断をして成功したことを思い出させて自信を持たせてくれる。

サポートのうち、どれか1つは自分が求めているサポートではないでしょうか。自分にどのサポートが必要かわかったら、それを与えてくれそうな人を選びましょう。もちろん、先延ばしばかりしている相手を選んでも意味はありませんよ。そういう人を除外した後に、それぞれのサポートを見返し、自分に必要なことを一番うまくくれそうな友だちは誰かを考えてみてください。

ただし、何も言わなくても助けてほしい、という期待はしないでください。**相手に何が必要かをちゃんと伝えましょう。**その際、先ほどのリストを見ておき、自分がどんなサポートを期待しており、そのためにどんな行動を取ってほしいかを明確に伝えてください。

なかには、なかなか助けを求められないという人もいると思いますが、たいていの人は助けを求めてきた相手をバカになどしませんし、むしろ喜んであなたの力になってくれるでしょう。頼られると気分がいいからです。ですから、「気分がよくなるチャンスを与えている」と思って友だちにお願いしてみましょう。

ポイント

ＳＮＳを利用して、情緒的なサポートや、先延ばしを減らすための実践的なサポートを受けよう。そのために、自分が先延ばしを減らそうとしていることや、どんなサポートを必要としているかを相手に知らせておく。

脳に効く方法

64

先延ばしが言い訳になっていないか

小学6年生のとき、工作の授業で鳥の巣箱をつくりました。最初の作業時間を終えて、これは得意じゃないと思いました。型板をどうやってベニヤ板に取りつければいいのかわからないし、のこぎりでまっすぐ切ることもできなかったからです。

やがて、私はわざと手を抜くようになりました。雑に作業を進め、クギが曲がっても打ち直したりしませんでした。私はそうやって、自分のひどい作業ぶりに先回りして言い訳をつくっていたのです。

心理学ではこれを「セルフハンディキャッピング」と言います。

つまり、**自分の失敗に言い訳を用意するために、自分自身にハンディキャップを課している**という考え方です。

先延ばしするときにも、セルフハンディキャッピングをしがちになります。

他の用事（掃除、人づき合い、他の勉強など）で時間を潰し、直前まで試験勉強に取りりかかろうとしないのです。それによって「忙しすぎて試験勉強をやる時間がなかった！」という言い訳を用意するのです。

なぜ、そんなことをしてしまうのでしょうか。最善を尽くすことに意味はないのでしょうか。たとえいい成績を取れる可能性は低いと思っていても、勉強してその可能性を高めることはできます。それでもセルフハンディキャッピングをしてしまうのは、勉強したのに悪い成績を取ってしまったら、まずいことが暴かれてしまうからにほかなりません。さて、それは何でしょうか？

そう、「頭の悪さ」です。脳に効く方法53で触れたように、頭のよさは遺伝によってほぼ決まっており、後から変えることはまず不可能だと多くの人が思っています。かしこい人はがんばって勉強したからかしこいのではなく、いい遺伝子を持っているからかしこいのだと。したがって、勉強に必死になるのは、自分があまりかしこくないからだということになります。ならば、勉強をがんばったのに試験に落ちたら、目も当てられなくなる——。

たしかに、頭のよさは遺伝で決まる部分もありますが、何をやるかによっても左右されます。**頭のよさは改善できるのであり、だからこそ学習をするのです。**「頭がよければ勉強する必要はない」も「試験に落ちたのはバカだから」も間違いです。

では、試験に落ちたとき、それをどうとらえるのがよいのでしょうか？　学校の試験だけを特別視する必要はありません。

一筋縄では行かないことは他にもいろいろとあります。お笑い芸人がちゃんと準備をしたのに大して笑いをとれなかったとしたら、単におもしろくなかったということなのでしょうか？　あるいは、笑いをとるのは難しく、さらに入念な準備が必要なのであり、その道で成功するにはもっと時間がかかることを覚悟しないといけない、ということなのでしょうか？

学びの道も簡単ではありません。ここまで本書を読んできて、正しく理解しなければならないことが数多くあることがわかったでしょう。ガマン強くなりましょう。がんばってやり続ければ、結果はついてきます。

ポイント　先延ばしをすることがセルフハンディキャッピングになりうる。試験やプロジェクトがうまくいかないときの言い訳を用意しているのだ。

脳に効く方法

65

誘惑をごほうびにする

ここで紹介することは最後の頼みの綱としてください。これは、勉強をやらないといけないのに、他にどうしてもやりたい活動がある場合の妥協案です。先延ばしを誘うものに時間の制約がある場合、特に効果を見込めるでしょう。これには「FOMO（フォーモ）」が関係してきます。FOMOとは「Fear Of Missing Out（チャンスなどを取り逃がすことへの恐れ）」の頭文字をとった略語。

自分の好きなスマホゲームの「限定イベント・アップデート」が数時間前に実施されたとき、あるいは、応援しているスポーツチームの試合があるとき。

誘惑が何であれ、問題は勉強をするのが嫌だとか、誘惑となるものが素晴らしすぎるという点にあるのではありません。そうではなく、後からもう経験できないことを取り逃がしているのでは……という気になってしまうことが問題なのです。

先ほどのスマホゲームの例では、どうすべきだったか。

脳に効く方法56で述べたように、勉強に関するものだけでなく、イベントの予定もスケジュール帳に書き込みましょう。限定イベント・アップデートが10月30日に行われると知った時点で、そのイベントがある時間には他の予定を入れないようにすると、先延ばしをすることが少なくなります。

では、イベントのために勉強時間を確保できず、それでも2、3時間はどうしても勉強をしなければいけないとしたらどうでしょう。もし、誘惑となるものが時間を決めて細切れに行えるのであれば、勉強の合間に少しずつごほうびにするのです。

たとえば、30分勉強したら、5分間はゲームをする。ただ、勉強を始めてもゲームやSNSが気になって集中できないという問題は、今述べているケースとはまた別の話です（次章で取り上げます）。

この対策は最後の頼みの綱としてください。というのは、自分が設けた制限を破って、長い時間やってしまう危険性があるからです。

ポイント　勉強以外の誘惑に負けそうになったら、勉強が終わったごほうびとしてその活動を行うようにしよう。

脳に効く方法

66

記録につける

どれだけ計画を守って続けられているかを記録につけて、自分のがんばりを褒めてあげましょう。手っ取り早いのは、スケジュール帳に毎日、勉強したらチェックをつけることです。

部屋の机に向かってもやる気が起こらず、今日は何もできないんじゃないかと感じる日もあります。それでも、毎日、机に向かうことが大切な理由は2つあります。

1つ目は、**今日はうまく進まない予感がしても、何もしないよりはまし**だからです。何かしら勉強は進んでいるはずだから。

そして、より重要なのは2つ目で、**自分にとって勉強は大事であるという自己イメージを持てる**からです（13章で詳しく解説します）。

体調が悪いときも、ただやる気が起きないときも、スケジュールを守って毎日、勉強を続けている人がいたら、あなたはどう思いますか？

「その勉強は、その人にとってすごく大事なのだ」と思うのではないでしょうか。

それは、勉強を続けている自分の姿を見ても同じです。決めた時間は勉強をやった、という思いが、学ぶ者としての自己イメージをつくるのです。

ただし、続けることに自信を持つことと、記録にとらわれることは大きく違います。

「すごい！　50日間連続で勉強してる。100日も達成できるのでは？　いや、365日だっていける！」という心持ちではいけません。続けることじたいにとらわれることには、大きな問題点があります。

1回でも勉強できないと、それが大きな意味を持ってしまうからです。

あるダイエット中の女性が結婚式に呼ばれ、誘惑に負けて高級デザートを口にしてしまいました。「ダイエット失敗だ。もうおしまいだ」

その夜、帰宅した彼女は、「ダイエットに失敗したんだから、もうアイスクリームを食べてもいいんじゃないの？」と考えてしまうのです。

続けることじたいにとらわれないことに加え、本当に大切なことのためには休みをとってください。大事なデートがあるときに、勉強の時間を気にして腕時計をチラチラ見ているのは、相手からしたらあまりに失礼ですからね。

ポイント

勉強を続けることじたいにとらわれないように。連続記録は必ず途切れるものであり、記録が途切れると必要以上にやる気を削がれる。

第12章

集中力をキープする

机に向かって勉強していると、スマホが鳴り、友だちからたわいないメッセージが届きます。その友だちとは頻繁に連絡しているけれど、今日はまだ何も送っていません。気がつくとあなたはチャットを立ち上げ、自分のストーリーに写真を追加します。そしてあっというまに30分経過——。

心理学者のアンジェラ・ダックワースとジェームズ・グロスによる4つの心理的過程は、人が注意散漫になる過程にも当てはまります。先ほどのケースで言うと……。第一に、人が勉強する状況を用意する。そこにはスマホも置いておく。第二に、スマホが鳴り、注意が勉強からスマホへ移る。第三に、スマホの通知を重要だと認識する。第四に、アプリを立ち上げて反応する。

あなたはこの4つの過程を経た結果、勉強しなくなったわけですが、どこかで断ち切ることはできたはず。まず、スマホを別の場所に置いておけば、通知音を聞くことはなかったでしょう。通知に注意が向いたとしても、重要ではないと判断することもできたでしょう。あるいは重要だと判断しても、「今は勉強しなきゃ」と自分に言い聞かせることもできたでしょう。

注意すべきなのは、後ろの過程へ行くほど断ち切るのが難しいように思えることです。たとえば、スマホを1時間鳴らないようにするのは比較的簡単ですが、チャットアプリを立ち上げないのはなかなか難しいでしょう。

ほかにも、集中力はマインドワンダリングによって途切れることがあります。マインドワンダリングとは、集中すべきものから自然に注意が逸れて、別のものへ移っていく状態のこと。

①タスクに取り組む時間が長くなるほど、②タスクが退屈であればあるほど、そして③タスクが簡単すぎる（難しすぎる）と思った場合ほど、起こりやすくなります。

マインドワンダリングについては、なぜ起こるのかまだよくわかっていませんが、それを防ぐ効果的な方法は研究でいくつか明らかになっています。

集中しようとしているとき

✕ **脳がやりがちなこと**　新しい情報が現れると、注意を勉強から逸らす（注意散漫）。または、おのずと注意が勉強以外の考えに向けられる（マインドワンダリング）。

○ 脳をフルに活かすと　手っ取り早いのは、環境を変えること。注意散漫になるのは避けられないが、すぐに目の前の勉強に注意が戻るようにすること。

脳に効く方法

67

場所を考えて選ぶ

勉強する場所に求めるべき特徴ははっきりしています。できるだけ気を散らすものがない場所を見つけましょう。とはいえ、**自分にとってどんな環境がうまくいくかをわかっておかなければいけません。**

私の同僚には、静かだからと、自宅での仕事を好む人がたくさんいます。しかし、私は自宅で仕事をすると、キッチンをウロウロし、冷蔵庫を開け、やらなきゃと思っている家の修繕のことを考えたりしてしまいます。

また、ある友人は、ベッドや座り心地のいい椅子がある部屋で仕事はできないと言います。そういう部屋だと「5分の仮眠」のはずが、1時間寝てしまうのだそうです。

大学生のころ、誰もいない夜の教室で勉強することがあり、毎回、教室を変えるようにしていました。ホワイトボードと机しかない教室では気が散ることもなく勉強できましたが、後になって自分は1人で勉強するのが好きではないなと気づいたのです。

むしろ、同じように勉強している人がまわりにいることがメリットになる場合もあります。社会的な生きものである私たちは、得てして**まわりの人が感じていることを感じ、やっていることをやる**ものです。これを「**社会的伝染**」といいます。

つまり、まわりの人たちが笑ったり、怖がったりしていると、自分もその感情に近くなり、運動していたり、勉強していたりすると、自分もそうした活動をしやすくなります。

どこで勉強するかということに加えて、いつ勉強するかもよく考えましょう。

私はいつも朝4時ごろに起きてやるようにしていましたが、睡眠は自分の体調を考えてとるべきですし、他にもいろいろと制約があって生活のリズムを変えられない人もいるでしょう。

ただ、時間の融通がきく大学生の場合は、平日の早寝早起きを検討してみてください。それによって気を散らすことなくできる時間が見つかるかもしれません。

ポイント

「静かな場所を見つけよ」はおおむね正しい。ただし、勉強にベストな時間帯や、他の人と一緒に勉強したほうがやる気が出るのかどうかについても考えること。

脳に効く方法

68

場所を改善する

教室や講堂では、できるだけ前の列に座るようにしましょう。

自分の前に座る人が少なくなりますし、前方に座る人ほど集中して授業を受けようと思っているものなので、まわりに気を散らされることが少なくなります。さらに、先生の近くに座ればその表情が見えやすくなり、集中力を保つのに多少役立ちます。

では、もし前方の席に座れなかったらどうするか。

たとえば、仕方なく後方に座ったところ、目の前の人がネットで腕時計を物色していた——こんな場合は、可能であれば席を変えましょう。それが無理でも、椅子に座る向きをずらし、画面があまり目に入らないようにすべきです。

また、授業中に友だちがずっと話しかけてきたとします。この場合は、先生の話が聞き取りづらいと相手に伝えましょう。それでもまだ話しかけてくるようなら、先生の話が聞こえるように前の席へ移動しようと思うと言ってみます。**相手を直接黙らせ**

るのではなく、おしゃべりを続けづらくすればいいのです。

もっとも、注意散漫の最大の原因は、人ではなく電子機器かもしれません。私はパソコンで仕事をしているときに、タブやドキュメント、フォルダが開いているのが目に入ると他のことを考えてしまいます。全画面表示にすれば、自分が集中したいものだけを表示させられます。

スマホはサイレントモードに設定できるぶん対応しやすいのですが、通知を無視しようとすることで気が散ってしまうため、できるなら電源を切るほうがベター。勉強中のメッセージ確認は時間を決めてするようにしましょう。

注意力を乱す原因となるコンテンツへのアクセスにもう一歩、制限を加えてもいいと思うなら（もしくは、その必要性を感じるなら）、スクリーンタイムを制限するアプリをインストールしましょう（例：Freedom, AntiSocial, Cold Turkey, SelfControl）。こういうアプリを使えば、特定のアプリの使用可能時間を設定できます。

ここまでやりたくなければ、勉強に集中できない時間を抑える方法は他に2つあります。

1つ目は、使用時間を監視するアプリをインストールすること。

2つ目は、SNSの自動ログインを解除することです。ユーザーネームとパスワードをいちいち入力することになるので、ＳＮＳを見る回数を減らすことができます。

また、一部のアプリの通知を切るのも手です。

こうした対策には、共通する法則を２つ見出すことができます。１つ目は、気を散らすものがあったら、自分の環境からそれを取り除くか、最低でも変化を加えること。

２つ目は、自分がつい気を取られてしまうものがあれば、それにアクセスしづらくするということです。

ポイント

気を散らすものがある場合は、それを取り除くか、または気づきにくくする。

または、対象にアクセスしにくくする。

脳に効く方法

69 マルチタスクをやめる

人は2つのことを同時にするのがとても苦手です。気を散らすものの大半は自分がつくり出しています。ただ、自分に対して何をやっているか気づいていません。数学の問題を解きながら論文を書くのが無理なように、複数のタスクを同時に行うことはできません。

また、スマホで何人かとチャットのやり取りをしながらレポートを書いているときなど、複数のタスクを切り替えながら行うことにも負担がかかります。こう言われてもあまりピンとこないかもしれませんが、実際そうなのです。

「レポートを書くのがちょっと遅くなってもかまわないから、書きながら友だちと連絡をとりたい」という人もいるでしょう。その気持ちもわかります。

ただ、知っておいてほしいのは、その負担はあなたが思っているよりも大きいということ。人はマルチタスクを行うと負担が生じると気づいても、それを低く見積もる

のが常であることが研究により明らかにされています。

それがよくわかるのが音楽を聴いたり、裏で動画を流したりしながら勉強しているときです。調査によると、こうしたマルチタスクを行っても勉強の邪魔にはならないと学生は考えており、むしろ勉強の役に立つと言う学生もいました。しかし、研究によるとそうでもないようです。研究は次のように行われています。

まず、学生を研究室に集めます。学生には、勉強中に使っている音楽や動画の再生装置を持参させます。次に、教科書を1章分読ませるか、または数学の問題を数問解かせます。その際、音楽や動画を再生しながらそれを行う学生と、再生せずに行う学生に分けます。動画の場合、その結果は実にはっきりしています。動画を再生しながら勉強すると、遅くなるか、正確でなくなるか、あるいはその両方の影響が出ます。また、学生がまったく気にならないと思っている場合や、ただのバックグラウンドノイズだと思っている場合でも、同じような結果になりました。

そして、音楽の場合は複雑です。これに関しては、およそ考えつくかぎりの研究が行われています。歌詞のある音楽とない音楽の比較や、クラシック音楽とポップスの比較なども行われましたが、どの音楽でも大きな違いはありません。

わかったのは、音楽を流すと課題がはかどるときもあれば、邪魔になるときもあるということ。というのも、音楽には2つの相反する効果があるからです。人の気を散らすこともあれば、やる気にさせることもある。人が運動しながら音楽を聴くのは、そのためです。どちらの効果をもたらすかは、その音楽を聴いてやる気が出るかどうか、タスクの難しさなど、さまざまな要素に左右されます。

ただ、マルチタスクが勉強の後押しになることはなく、むしろ悪い影響が出やすいので、気分を高めたければ休憩中にしましょう。

結論。たとえ裏であれ、動画を再生するのは、勉強の邪魔になります。音楽は問題とならない場合もありますが、慎重に。これまでも強調しているように、人は自分の思考プロセスや作業の質を正しく評価するのがあまり得意ではないからです。

ポイント　マルチタスクはやめる。複数のタスクに等しく注意を向けることは、実質不可能。

脳に効く方法

70 「それ、本当に重要？」と聞く

288ページで取り上げた4つの心理的過程を思い出してください。

人は「状況を用意し」「注意が移り」「認識し」「反応する」という過程を経て注意散漫になるのでした。ここまでに状況を改善する方法や、気を散らすものに注意を向けにくくする方法について検討してきましたが、もう1つ考えておきましょう。

SNSについて言えば、通知音が鳴ったときに即座に手を伸ばすことは、今取り組んでいることよりもその通知のほうが重要だと評価したことを意味します。

しかし、実際、手を伸ばすという行動は無意識的に行われます。**この対策は、無意識の行動を中断して、その行動について考え直すことです。**

「この通知が本当に重要かな？」と考えるか、できれば口に出して言うようにしましょう。実際のところ、休憩を待ってからメッセージを見て、「なんで勉強を続けてしまったんだろう！　自分の本能に従ってすぐにスマホを確認すればよかった！」と後悔することなんて、ありえると思いますか?

あまりに無意識にスマホに手を伸ばしてしまうから、そんな自問をする隙がないという人もいるでしょう。その場合は自動ログインを解除しておき、毎回、ログインIDとパスワードを求められる設定にしておきましょう。

マインドワンダリングに対しても、これと同じテクニックが使えます。「来月の友だちの結婚式に何を着ていくかなんて、今すぐ考える必要はない。家に帰るときに考えよう」などと、口に出して言うのです。

ただ、マインドワンダリングに感情が入ると、このテクニックはあまりうまくいきません。たとえば、アルバイト先で勤務時間を減らされて動揺していたとします。試験のために今は勉強する必要があるのに、お金の問題で頭がいっぱいです。そんなときに「今お金のことを考えて、意味ある?」「ない」と自問自答しても、勉強に集中することができないでしょう。

感情が絡むときは「心理的距離を置くテクニック」が使えます。この場合も自分がすべきだと思うことを(なるべく声に出して)自問するのですが、その際に第三者の視点に立って自分のことを語るのです(他の人に聞かれない場所で!)。「〇〇(自分の名前)は今、すごく混乱している。お金のことをとても心配している。

というのも、アルバイトの勤務時間を減らされて、家賃をどうすればいいかわからないからだ。けれど、今は、この試験勉強をする必要がある」

ここで説明したテクニックは、「本当に今、スマホをチェックしないといけないの？」「本当に今、服装のことをあれこれ考えないといけないの？」というように、自分がとりうる行動を再評価することがカギになります。

改めて強調しますが、これは一番に考えるべき対策ではなく、そもそもスマホの電源を切っておくのが、ずっとよいでしょう。

しかし、勤務時間を減らされた例のように、状況や自分の意識を簡単に変えられない場合もあります。その場合に、唯一の選択肢となるでしょう。

ポイント

スマホなどによって気が散っている場合、気を散らす対象の重要性を再評価するとよい。マインドワンダリングについては、第三者の視点に立って自分の置かれた状況やその状況をどう評価すべきかを語ることが、一番の対策。

脳に効く方法

71

「したい」と「楽しい」は別物

さて、あなたは勉強中、スマホをサイレントモードにすると決めました。休憩時間にSNSをチェックするのが当然、ご褒美になります。しかし、それ以上に、勉強中にSNSを見られないことがつらく、他のことが考えられなくなります。

だけど、SNSは実際、楽しいのでしょうか？

実は**「したい（欲求）」と「楽しい」は同じではありません。**長い間、楽しみについては解明ずみだと脳の研究者たちは考えてきました。ラットに褒美を与えるたびにドーパミンを多く放出する回路が活性化されたので、この回路が喜びの感情に関係しているに違いないと思われてきたのです。

しかし、最近の研究によると、この回路は実際には「したい」という感情を支えており、また報酬系回路とは別のものであることがわかっています。脳は「楽しい！」と言っているのだと思われていたのが、実際は「もっと！」と言っていたのです。

脳が特定の状況や行動を褒美と関連づけると「もっとしたい」という欲求も一緒に関連づけられます。問題は、**褒美が減る可能性があるのに——その状況や行動で前と同じように報われるとはかぎらないのに——、脳が「もっと！」という反応を忘れようとしない**点にあります。

SNSに対する自分の感情が「したい」と「楽しい」のどちらであるか、認識できますか。できない人は、次に紹介するちょっとした実験をやってみてください。

1回の勉強時間に、好きなだけスマホを見てよいこととします。ただし、そのたびに次の3つのことを記録するようにしてください。

スマホをどれだけチェックしたいと思ったのかを1〜7で評価します。そして、勉強に戻るときに、スマホを操作していた時間を記録し、どれだけ楽しんだかを1〜7で評価します。

次の日は、SNSに触れる休憩の回数を前日の半分にします。ただし、休憩の平均時間は同じになるようにします。そして今回も、休憩の始めにどれだけチェックしたいと思ったのかを評価し、休憩の終わりにどれだけ楽しんだかを評価します。

きっと、2日目の「したい」の評価が1日目よりも高くなるはずです。というのも、2日目のほうがスマホを見るのを長く待たないといけないからです。

一方、「楽しい」の評価は1日目のほうが高くなるはずです。他の人がどんな投稿をしているかを見たり、自分がどれだけ「いいね」をもらったかを確認したりするときの興奮がご褒美となっているからではありません。もちろん、それはそれで楽しいのですが、あなたを駆り立てる一番の原動力は「したい」という感情なのです。

この実験をした後の数日間は、必ず一定の間隔で休憩をとるようにし、どうしてもスマホをチェックしたくなったら、セルフトーク（自己対話）を行ってみてください。実験で「楽しい」の客観的評価を行ったら、それほど楽しめてなかっただろう、と自分に言い聞かせましょう。

チェックしたいと強く思うのは、すごく楽しいことが待っているという期待感のためではありません。「まあまあ」程度なのに、以前はとても楽しかったということを覚えていて、「したい」と思っているだけなのです。その楽しみも、もう少ししたら味わえるのだと自分に言い聞かせましょう。

ポイント　スマホに依存している人は、その習慣が実際、楽しいからやっているのか、それとも求めているだけなのかを確認しましょう。

脳に効く方法

72

“マインドワンダリング”を減らす

マインドワンダリングの研究は、始まって15年ほどしか経っておらず、コントロールする方法もまだ多くはわかっていません。とはいえ、役立てられそうなアイデアをいくつか紹介することはできます。

学生を対象としたある研究では、授業中にランダムな間隔でスマホにメッセージを送り（学生と教師の許可は得ています）、そのとき何を考えていたかを記録してもらいました。

おおむね3分の1の学生は、授業のことを考えていませんでした。さらに驚くことに、そのうち約40パーセントは「退屈だし、他のことを考えよう」と、みずからマインドワンダリングを始めていたのです。したがって、この場合の対策は簡単。マインドワンダリングしたくないと思うのなら、やらなければよいのです。

2つ目は、読書中の対策。声に出して文章を読むと、より集中できるようになるかについて、複数の研究グループが検証しました。結果は研究によって異なりました。つまり、集中を保つのに役立つ場合もあれば、そうでない場合もあったのです。また、どんな人に役立つのかや、どんな内容だと効果があるのかを明らかにした研究はありませんが、試してみてはいかがでしょうか。

あと2つ、実験で検証されたものではありませんが、考えるヒントにしてください。タスクに取り組んでいて進んでいるときは、自分が集中できていることがわかりますが、危険なのは一段落したときです。次に何をするかを決めていないと、意識がそれてしまいがちに。私が考える一番の対策は「やることリスト」です。

タスクが1つ終わったら、リストを見て次に何をやるかを確認しましょう。

前述したように「やることリスト」は計画を立てたりやる気を出したりするのに役立ちますが（脳に効く方法57を参照）、**これからすることを明確にしておけば、勉強から意識がそれることも少なくなる**かもしれません。

最後に、瞑想をする人から取り入れたアイデアを紹介します。一部の瞑想では、1つの現象（心臓の鼓動など）に意識を集中させるよう求めます。その際にマインドワンダリングが邪魔になることがあるため、だいたい5分ごとに小さい音でアラームを設定して意識を戻す合図にする人がいます。

勉強にも同じテクニックを試すとよいでしょう。**10分ごとにアラームを設定し、意識がそれてしまったときに、勉強へ意識を戻す合図としましょう。**

ポイント

マインドワンダリングを少なくする方法についての研究は、ほとんど行われていない。ただ、文章を声に出して読む、やることリストを使う、集中するための合図として10分ごとにアラームを設定する、といった対策を試そう。

脳に効く方法

73

食べて、寝て、運動し、瞑想する

「集中力を高める」と称するトレーニングは存在しますが、少なくとも今のところ、マインドワンダリングに効果があるメンタルトレーニングは存在しません。

実は、マインドワンダリングが起きにくくすることはできますが、そのやり方はごくありきたりなもの。**お腹が空いていたり眠たかったりするとマインドワンダリングが起こりやすくなるので、よく食べ、よく眠るようにすればいい。**

あるいは、おそらく定期的に運動をすればいい。それについては裏づけとなる根拠が少なく、どちらとも言えないというのが現状です。運動をすると普通は気分がよくなるものですが、気分とマインドワンダリングの関係は複雑で、研究者たちも結論が出せないでいます。

一方で、しっかりとした根拠があるのが**「マインドフルネス瞑想」**。マインドフルネス瞑想にはさまざまなやり方がありますが、通常は静かに座るか横になるかして、浮かんでくる考えに対して判断を加えずに観察するよう求められます。定期的に瞑想を行う人は、瞑想を行わない人に比べてマインドワンダリングが起こりにくいことが、初期の研究で明らかにされています。

ただ、それだけでは瞑想によってマインドワンダリングが少なくなるとは言い切れません。すでに十分な集中力のある人が瞑想に興味を持ち、行っている可能性もあるからです。そこで、瞑想をしない人々を対象にしてさらなる研究が行われました。

被験者に瞑想をするように教えた後、標準的な実験タスクを行わせ、マインドワンダリングが起こりにくくなるかを確認したのです。すると、たしかにその効果が確認されました。また、最近の実験では、瞑想を始めてから早くて1週間後にはその効果が現れることがわかっています。ぜひ試してみてください。

ポイント　よく食べ、よく眠り、よく運動し、瞑想にも取り組むこと。

脳に効く方法

74

休憩は計画を立てて

休憩を取ると気が散りにくくなり、マインドワンダリングが起きにくくなると聞けば、なるほどと思うでしょう。

ところで、休憩はどれくらいの長さにすべきでしょうか？　どれくらいの頻度で？　また、休憩中には何をすればいいのでしょう？

最初の2つの疑問に対する答えとなるのが、ここ数年、大きな人気を集める「ポモドーロ・テクニック」。

この手法では、25分間集中して作業をした後に5分間の休憩をとり、これを1クールとします。4クールが終わった後には、15分から30分のリフレッシュ休憩をとります。

ポモドーロ・テクニックに悪いところはないのですが、休憩をとるタイミングやその長さに裏づけがありません。したがって、時間の設定に決まりはありません。

また、時間ではなく、タスクごとに休憩の予定を組むことを考えてもよいでしょう。私は文章を書いていて筆が乗ると、休憩をとって中断したくないと思うことがあります。それよりも、区切りのいいところまで書き終えたいのです。「やることリスト」に載せるタスクは30分程度で終わるものにすることをすすめるのは、このためでもあります（脳に効く方法61を参照）。

時間を決めてとるのであれ、タスクごとにとるのであれ、休憩の計画は立てておくことをおすすめします。要は、「休憩したくなるまでやろう」と思って机に向かってはダメだということ。

ポモドーロ・テクニックを活用している人は次のようなことを言います。「最初の20分間はだいたいすんなり過ぎていく。でも、そこでやめたくなることがある。そんなときは『次の休憩までたったの5分じゃないか』と自分に言い聞かせます」

こうしたセルフトークができるのも、休憩の計画を立てているから。

残念なのは、休憩中に何をすべきかという点については、研究があまり役に立たないことです。これまでにも、休憩中に運動するのと、静かに休むのと、外へ出るのと、別のタスクに取り組むのではどう違うのかを比較した実験は行われています。

ただ、休憩中にこの4つのうちどの活動をやるとよいのかは、よくわかっていませ

「ポモドーロ・テクニック」で組み立てる

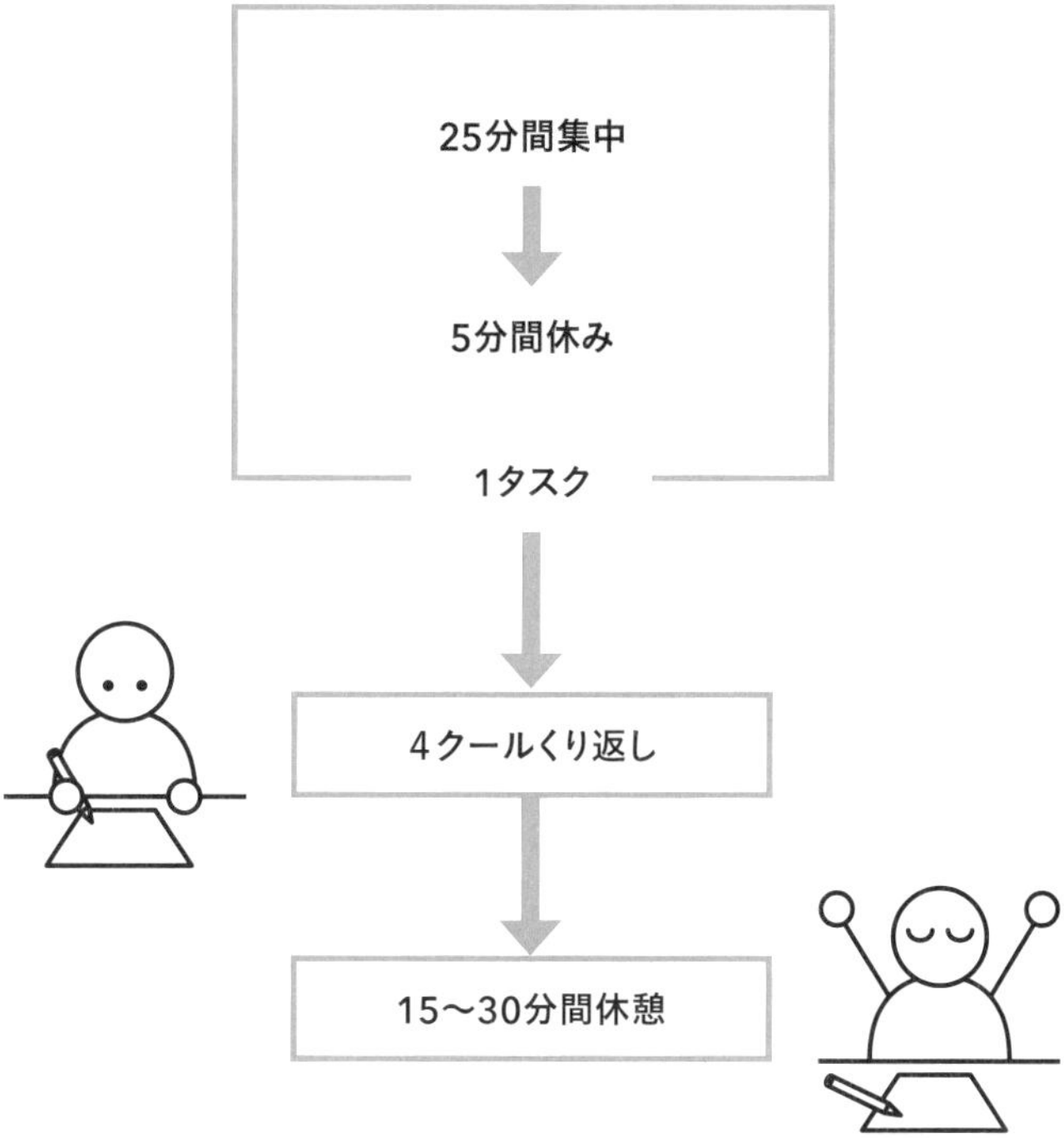

- 時間の設定に厳密な決まりはない
- タスクごとに休憩の計画を組んでOK
- タスクは1つにつき30分程度で終わるようにする

ん。

おそらく休憩中にスマホを手にする人が多いでしょうから、その行為がいいかどうかを確かめる研究があったらいいのに、とは思います。

ＳＮＳをチェックするよりも静かに休んだほうがよいとする実験はいくつかありますが、それだけでは確かな結論は出せないというのが私の考えです。それに、勉強中にＳＮＳをチェックできないことをとても苦痛に感じる人もいると思います。そういう人は、休憩時間になったらチェックしようと思えば勉強に集中できますね（脳に効く方法71を参照）。

ポイント 集中するには休憩が大切。ただ、休憩をとる的確なタイミングや、休憩中に何をすべきかについて、特に決まりはない。

第13章

自信を底上げする

映画を観ていると、「不良」が先生やまわりの人たちの支援を受け、実は頭がよかったことに世間——そして彼自身——が気づく……というシナリオがありませんか。

こうした映画は、主人公が自分の力をひどく誤解している——要は「頭がいいのにそれに気づいていない」という前提を観客が受け入れるかどうかにかかっています。ところが、たいていの人は自分も主人公と同じだとは思いません。「私の場合は単純で、勉強ができないのは頭が悪いせいだから。映画みたいになったことなんてないよ。だって成績が悪いんだもん、励まされることなんてない」

自信のなさは、学校の勉強がうまくいくかどうかに影響するのです。

1つには、それによって失敗のとらえ方が変わってきます。自分のことをデキる学習者だと思っている大学生は、試験で失敗しても、今回は勉強が十分でなかったんだろう、次はがんばっていい成績をとろうと考えます。

一方、自分はこの大学にふさわしくないと思っているような学生は、成績を落とすと「やっぱりね……」と思ってしまうかもしれません。

自信は、将来の志望にも影響します。たとえば、看護師になるのが昔からの夢だという人が、自分は出来の悪い学生だと思い込んだために、看護学校の卒業は無理だと判断して他の職業を選ぶということもあるかもしれません。

あなたは楽に学ぶタイプですか？　苦労して学ぶタイプですか？　学習者としての自信は、勉強についての「自己イメージ」から生まれます。

こうした自己イメージは当然、学校の成績や何年も受けてきたフィードバックによって形成されますが、それだけではありません。他にも、「友だち」「比べる相手」「育った家庭の価値観」という3つの要素が重要です。

この4つの要素の結びつき方にはわかりやすい法則がないために、自己イメージを変える必要があると思っても、そう簡単に変えることはできません。

とはいえ、自信がない人は、能力だけが自信の土台ではないこと、自分はもっと自信を持つべきだということに気づくだけでも得るものがあるでしょう。

まずは勉強についての自己イメージを形づくる4つの要素について、自分の場合はどうか、少し考えてみてください。

フィードバック：自分の能力に関して、これまで周囲からどのようなメッセージを受け取ってきましたか？　がんばって勉強したら、だいたいうまくいきましたか？　上級クラスにいましたか、それとも補習授業を受けさせられていましたか？　試験などで失敗したとき、親はがんばれば次は大丈夫と励ましてくれましたか、それとも「この子は勉強には向いていない」と思っている様子でしたか？

人間関係：人に対するイメージは、その人のふるまいを観察する中ででき上がります。そして自分に対するイメージは、自分のふるまいや一緒にいる人たちのふるまいに影響されます。友だちは勉強を人生において重要なものだと考えていますか？　また、友だちは新しいことを学ぶために時間を割いていますか？

比較：いつもBの成績をとる学生は、Cばかりとる親友と比べて、自分を優秀だと思うかもしれません。あるいは、Aをたくさんとる姉と比べて、自分を「バカだ」と思うかもしれません。親や教師は、あなたを他の子と比べましたか？　また、そうやって比べられることに納得していましたか？

価値観：教育を重視する家庭では、子どもは学校に通うべきだと親が強く考えているため、子どもがそれに疑問を持つことはあまりありません。一方で、いい人生を送るための道はたくさんあり、学習だけが大きな役割を果たすわけではない、と考える親もいます。子どものころ、勉強に対する家庭の価値観はどのようなものでしたか？　また、その価値観を受け入れましたか、それとも反発しましたか？

自信をつけたいとき

✕ **脳がやりがちなこと**　過去の成績のほか、人間関係や、比べる相手、自分の価値観をもとにして勉強に関する自己イメージを形づくる。自信はこの自己イメージに影響される。

○ **脳をフルに活かすと**　自信につながる要素がわかったら、勉強に関する自己イメージを変えるために手を打とう。

脳に効く方法

75

「成功のモノサシ」を持つ

たいていの人は学校で自己イメージをつくります。「できる子」は、音読をしても訂正されることはなく、先生の質問にも堂々と手を挙げて答えます。

小学校低学年は人格の形成期にあたるため、一度この「できる子」像が形づくられると、揺るぎがたいものになります。ただ、学校における「できる子」には2つの点で限界があります。

第一に、学校ではスピードが重視されます。学校のカリキュラムがぎっしりと詰まっているので、教師はいいペースを保たなければとプレッシャーを感じています。内容の飲み込みが早い児童が有利です。

一方、コツコツ勉強するタイプの子は、それと同じか、あるいはもっと深いところまで理解することができても、自分の力を示す機会には恵まれないかもしれません。

第二に、「できる／できない」を、本来備わる特徴であるかのような印象を植えつけがちです。

しかし、この本でくり返してきたように、学習の成果はあなたが誰であるかではなく、何をするかによるのです。過去に苦労した経験があったとしても、たとえ他の人より学ぶペースが遅かったとしても、やるべきことをやっている人ならなんの問題もありません。学習は、人が生まれながらに持つ権利なのですから。

少し大げさだったでしょうか？　では、自分が学校以外で何を学んできたかを思い返してください。スポーツ、ゲーム、友だち同士の人間関係、楽器の演奏、親との関係性など、あらゆる場面で学習が求められたのではないでしょうか。

中には、得意なこともあるでしょう。ただ、得意なことが何もなくても、学習してきたことに変わりはありません。そして、生徒や学生でなくなれば、「成功」の尺度も違うものになります。そのため、これから先に出会う経験が学校でのものと同じであるとは思わないことです。学校の外で、学習がうまくいくのは得てして他の能力やスキルと組み合わされたときです。

たとえば、自分が企業の営業担当で、この6カ月間、新しいプロジェクト管理ソフトを使用してきたとします。学校では学習そのものが重視されますが、組織ではさまざまなスキルが重視されます（例：同僚といい関係を築く、ITスキルを身につける、新しいことに挑戦する……など)。このことが、自己イメージを修正するのに何より大切となるかもしれません。

一度、学校の外に出たら、勉強だけが得意である必要はありません。もちろん、ある程度は必要ですが、加えて他のスキルも伸ばすことが求められるのです。

人気漫画『ディルバート』の作者、スコット・アダムスはこう指摘します。

「1つのことにとびきり得意なのは成功への道の1つだが、そこまで何かを得意になるのは難しい。それに比べれば、2つ以上のことをそこそこ得意になるのはずっと簡単だ」と。

自分は勉強を飛び抜けて得意になる必要があるのか、それとも、「そこそこ得意」な勉強と他のスキルの組み合わせで一流を目指すことができるのか――よく考えてみましょう。

ポイント

学習は誰によってではなく、何をするかによって成し遂げられること、学校を出れば学習の意味合いが変わることは、覚えておく。1つのことに秀でるのではなく、複数のことを得意になろう。

脳に効く方法

76

勉強熱心な人と一緒にいる

進化を通じて、私たちの意識には他者のふるまいを繊細にとらえ、それを真似るよう刻まれています。**他のみんながやっていれば、それが安全でかしこいやり方である可能性が高かったから**です。テレビ番組で笑い声を流すと、視聴者がつられて笑うのもそのためですし、多くの人がいつも混んでいるレストランへ行き、空いているレストランを避けるのもそうです。

友だちや家族の行動を真似ることができれば、周囲のサポートも期待できます。たとえば、勉強熱心な友だちと一緒に図書館に、気軽に行けるようになりますし、勉強がうまくいっていないときには相談に乗ってくれ、うまくいっているときは応援してくれます。また、勉強のコツを教えてくれるなど、実践的な手助けをしてくれるでしょう。

勉強に関心がない友だちはダメだというわけではなく、ただ勉強に関するサポートを期待できないということです。こちらを気づかってはくれるでしょうが、相手が同じような経験をしていないので、少しズレた気づかいに感じてしまうかもしれません。**人は自分に似た部分のある人と、仲間になりたいと思うもの**だからです。

趣味で科学の本をたくさん読んでいる、医学部に入るためにがんばっている、現代政治を理解するためにニュースを読み込んでいる……など、さまざまな人がいるでしょう。いずれにせよ周囲のサポートは、関心を共有する人と一緒にいてこそ受け取ることができます。

ポイント

私たちは社会的な存在であり、友だちや家族が行うことに影響を受ける。たとえ数人であっても、勉強に関心のある人たちと一緒にいれば、自分も堂々と勉強に向き合える。

脳に効く方法

77

「過去の自分」と「今の自分」

あなたの自己イメージに影響を与えるのは、どんな行動や態度でしょうか？ゲームが大好きで毎日2、3時間プレイする10代の人は、自分のことをゲーマーだとは思いません。まわりの友だちも同じくらいやっているからです。

一方で、読書をする友だちがまわりに1人もいなかったら、年に2、3冊しか読まなくても「読書家」と思われるでしょう。重要なのは「比較」です。

自己イメージに影響を与える比較は、友だちとの間だけではありません。**自分を誰と比べるかは自分自身が選んでいる**のです。その選択によって自己イメージは大きく変わりうるのですが、どの比較が的を射ているかは知るよしもありません。

ある友人が、自分の研究室にいる大学院生の話をしてくれました。その学生は、統計をうまく扱えなくて落第するのではないかと恐れていました。実際、クラスで一番の成績だったのですが、データサイエンスの博士号を持つパートナーと自分自身を比べてしまっていたのです。

こういう状況を外からみて、「こんな比較をしても意味がないし、自己イメージをゆがめてしまう」と言うことは誰にでもできます。しかし、誰がいい比較対象かなんて、どうやってわかるというのでしょう？

人と比較しようと思うのではなく、自分と自分を比較しましょう。つまり、過去の自分の目標や、それを達成するまでの進み具合を追うのです。他人と自分を比較するのはよく言っても非生産的、悪く言えば有害です。

大切なのは、最高の自分になろうと努力することであり、他人が何をしているか、していないかは関係ありません。「同級生や同僚に比べて自分はどうなんだ」と思い始めたら、自分のこれまでの目標を記録したパソコンのファイルや日記を取り出して、どれだけ進歩したかを考えてみましょう。

ポイント

自分を他人と比べてしまうのは自然なこと。ただ、こうした比較が役立つことはほぼない。自分の成長を評価するには、現在の自分と過去の自分を比較しよう。

脳に効く方法
78
家族以外からアドバイスをもらう

親が家庭の価値観について多くを語らなくても、子どもは行動から伝わる無言のメッセージにより、親が何を大切にしているかがわかります。親が何にお金を使っているか、何に時間を費やしているか、誰に敬意を払っているか、何を家庭のルールとして重視しているかを子どもはよく見ています。

勉強に価値を置く家庭で育った子どもは、学校の成績がよくなる傾向があります。こういう子どもは、難しい授業を選択し、高い成績を収め、大学へ進学する可能性も高くなるのです。

こうした親は、お金に余裕があって本人も高学歴であることが多いため、必要に応じて家庭教師を雇うなど、子どもの学習を後押ししやすいからでもあります。加えて子どもも、学校は自分の居場所であり、うまくやっていけるという確信が持ちやすくなる。

一方、勉強に関心を持たない親のもとで育つ子もいます。あるいは、関心はあるけれど、時間とお金がないので、その価値観に見合った行動ができないというケースもあります。いずれの親を持つ子どもも、ともすれば学校になじめないという気持ちを長く持ち続けるかもしれません。

私は長年、高等教育に携わり、このような学生に数多く会ってきました。もっとも印象に残っているのは、初めて大学院を受け持ったときの学生です。

彼は、自分の研究がいい評価を得ていたにもかかわらず、何かが足りないという不安にさいなまれていました。大学院には「どう行動すべきか？」という目に見えないルールがあり、自分だけがそれを知らないと思っていたのです。

それは彼の生い立ちに理由がありました――家族のなかで大学に入ったのは彼が初めてだったのです。

親が「勉強」にまつわる知識を持っていなかったら、どうすればよいでしょうか？

高校なら、教師が助けてくれます。**自分の好きな先生に話をしにいきましょう。**先生の授業をとってから数年経っていたとしても大丈夫。自分が何を必要としているのか正確にわからなくても、かまわず指導を仰ぎましょう。そのことも含めて相談すればよいのです。こういう頼みを厄介だと思う教師はまずいません。むしろ、**頼ら**

れてうれしいと思うものです。

では、教員が、十分応えられるだけの知識もやる気も持ち合わせていなかったときは？　学生課など、大学のしかるべき窓口に相談してください。どの大学にも、学生がシステムを理解するのをサポートする専用の部署があります。サポートするのが仕事ですから、誰にも迷惑をかけることにはなりません。教育機関のシステムがわかりにくいからこそ、こうした部署が存在するのです。

ポイント

子どものころに、自信や実践的なアドバイスを親から得ることのできた人もいるが、そうでない人もいる。こうした自信やアドバイスは親以外の人から得ることも可能だ。

第14章

不安と仲よくなる

多少の不安は正常であり、むしろ役に立ちます。不安によって、人は「逃げるか戦うか」の行動に備えられます。

さらに、不安が情報を与えてくれることもあります。たとえば、何が脅威なのかを理解する前に、心臓のドキドキのような身体の反応に気づくことがあると思います。**不安によって問題の存在に気づくからこそ、その問題についてもっと知ろうとすることができるのです。**

不安と学習というと、まずテストの緊張が思い浮かぶかもしれません。

8章でも述べたように、**試験の最中に多少の不安を感じるのはよくあること。**また、読書やノート作成などを行っているときに不安が押し寄せてくることがあっても、支障が出るようなことはあまりありません。

不安が「役に立つ」ものではなく「有害」になるのは、その環境に脅威がないかチェックすることに時間と精神的エネルギーを習慣的に費やすようになった場合です。クモ恐怖症の人は、部屋を隈なく見回して危険がないことを確認し、部屋に入ってからも目を走らせ続けます。注意力が削がれて、会話をしたり考えたりするのが難しくなります。また、思考だけでなく行動にも影響することがあり、自分の部屋にクモがいるのを見てしまったら、入るのを拒むこともあるのです。

こうした、環境に適応できなくなるほどの不安は、どこから来るのでしょうか？
ある程度（おそらく3分の1くらい）は遺伝子によるものであるのは、間違いありませんが、とはいえ、目の色が決まっているのと同じくらい必然的に、DNAが「不安になれ」と決めているわけではありません。**「警戒心」や「用心深さ」が性質として備わっている**ということです。

であれば、何が不安へとかきたてているのでしょうか？

2つの説があります。1つは「パブロフの犬」で確認されたのと同じ種類の学習の結果、生じているとする説です。ベルを鳴らした後に犬にエサを与えることをくり返せば、犬はベルの音を聞くとエサをもらえると期待してよだれを垂らすようになる、というのがパブロフの犬の実験で認められた学習ですが、数学の授業を例にしてみましょう。

ある人が授業中にみんなの前に出て、数学の問題を解くように言われましたが、解くことができず、恥ずかしい思いをしました。

それが何回かくり返されると、黒板で数学の問題を解かされるときにはきまって、恥ずかしい思いをするにちがいないと思うようになります。それはちょうど、犬がベルの音を聞くとエサを期待するのと同じです。そうやって恥ずかしい思いを予期することで、不安になるのです。

話はここで終わりません。

数学の授業に出れば黒板で問題を解かされるかもしれないという意識があるため、教室へ入ったとたん、胸がドキドキするようになります。また、家で数学の問題に取り組んでいると教室のことを思い出し、家でも心が落ち着かなくなります。こうして、数学に関するあらゆるものが不安を生むようになってしまうのです。

つまり、この不安の理論では、最初は何とも思っていなかったこと（数学）がネガティブなこと（恥ずかしさ）と結びつくようになるというのです。

もう1つの説は、どのようにして不安のコントロールが利かなくなるかを理解するのに役立ちます。不安という感覚はとても不快であるため、人は環境に脅威となるものがないかを絶えず探って——つまり、監視しているわけです。

この監視プロセスは無意識のうちに行われますが、恐れるものに出くわすのではないかという緊張感は無意識のものではありません。そのため「まずいぞ。すごく不安なのに、何が不安なのかわからないなんて」と考えてしまいます。

こう考えることで脅威をより強く意識し、もっと懸命に周囲を探るようになり、あるはずだと思っているのに見つからない……というように悪循環が続いていきます。

ところで、不安に合理的な部分があると気づいた人もいるかもしれません。先の例で言うと、黒板で数学の問題が解けなかったことから数学に対する不安が始まったのだとしたら、「数学ができないから数学の勉強に不安を抱く」と考えるべきではないでしょうか？

研究によると、それも1つの要因ですが、それですべて説明がつくわけではないのです。実は、**数学への不安を抱く人の中にも数学がよくできる人はいます。**また、数学がまったくダメでも、数学に対して不安を感じない人はいるのです。

これはおそらく、**出来事に対するその人のとらえ方が重要**なのだと思われます。試験に失敗したことが自分にとって重要で動かしがたい何かだと思えば、数学に不安を感じる可能性が高くなります。

数学が自分にとって重要でなければ、試験で悪い点数をとっても不安にはなりません。また、数学を重視しているものの（そのため、点数が低いと動揺しても）、また勉強すればいい点数がとれると思っている場合も、問題にはなりません。**重視しているのに手の施しようがないと感じるときにのみ、不安になる**のです。

われわれ心理学者が不安を減らす対策に目を向けたとき、次の2つのことがポイントになります。

第一に、実際に起こったことよりもその人のとらえ方のほうが重要と考えるのであれば、心理学者が一番にすべきなのはよりよい考え方を提供することです。

第二に、不安がすぐになくなることを期待すべきではありません。古い連想や考え方のパターンを手放すには、それなりに時間がかかります。走り始めたその日からマラソンを走ろうとは思わないでしょう。

実際、不安を取り除くのに時間がかかるので、たいていの心理学者はそれを目標にすべきではないと言うでしょう。試験を受けるとき、授業でアイデアを出すとき、初対面の人とプロジェクトを組むときに不安を感じるのであれば、重要なのは、試験に受かるようにすること、アイデアを出せるようになること、プロジェクトを組めるようになることです。

目標にすべきは不安を管理することです。間違っても「不安を感じなくなるまでそのタスクに取り組まない」とは思わないでください。不安を感じながらも、必要なことに対処することを目指しましょう。

不安になるとき

✕ 脳がやりがちなこと

脅威がないか周囲を調べ、脅威が見当たらなくなるまでそれを続ける。それによって不安がどんどん高まり続けて頭がいっぱいになり、学習に集中するのが難しくなる。

脳をフルに活かすと 自分の考えをとらえ直すことに集中して取り組み、不安を管理する。

脳に効く方法

79

「やりたいこと」を見すえる

不安を管理する作業にはフィードバックが重要です。どの対策がどれくらい効果的かは人それぞれなので、ある対策を試したとき、それが自分に合っているかどうかを把握できないといけません。

不安を打ち消すのではなく、管理するという目標に沿って、**たとえ不安になっても、自分のやりたいことをやるのが成功だ**と考えるようにしましょう。

ここで次のように思った人もいるかもしれません。「なんだ。『恐れずに、とにかくやれ』ってことか」

まあ、そういうことです。

不安を感じるのはイヤですが、害はありません。心臓がドキドキして、手のひらに汗がにじんでいるとき――「ここには問題があるぞ！」と身体がはっきりと訴えているときに、そういうふうに考えるのは難しいかもしれません。しかし、冷静に考えてみれば実際はなんの問題もなく、自分が傷つくことはないとわかります。

私の教えていた学生の話です。

彼女は普段のやりとりでは問題がないのですが、授業で発言するときにはきまって首から胸まで赤くなり、しゃべり方がたどたどしかったので、人前で話すのがとても不安でした。

彼女は不安とうまくつき合っていくために、次のような計画を立てて、段階的に実行していきました。

- 授業では週に1回、短くコメントする
- 授業では毎回、短くコメントする
- 週1回、もっと複雑な考え（たとえば、1分以上かかるような）を説明する
- 授業ではまとまった発表をする

あなたにも同じことをやってもらいたいのです。少しでもやりたいことができたら成功としましょう。たとえ、誰かのコメントに賛同して「私もその点については同じ意見です」としか言えなかったとしても、です。

また、人とのつき合いを恐れて外出を避けているなら、家の周辺を歩いて通りすがりの人に「こんにちは」と言うことにする、と決めるところから始めてもよいかもしれません。

ここで注意しておきたいのは、**他人と自分を比べたり、「現実の自分」と「なりたい自分」を比べたりしないで**ください。

そういう比較をしても、自分をヘンだとか、ダメ人間だと決めつけるのがオチでしょう。むしろ**「今自分がいる地点」と「かつていた地点」を比較すべき**です。そのことを頭に入れて、次の小さな1歩を踏み出しましょう。

ポイント

対策がうまくいっているかどうかは、不安が軽減しているかではなく、自分のやりたいことをやって多少なりとも進歩しているかで判断しよう。

脳に効く方法

80

不安をこじらせない

事態が改善することはなく、かえって不安が悪化する対処法があります。ここでは「やってはいけないこと4つ」を紹介しておきましょう。

やってはいけないNG① 不安だからあきらめる

「あまりに不安で先生に話しかけられない」とか「上級コースをとる資格はあるのに、そのことを考えると落ち着かなくなるので、とるのをやめておく」などと考えないでください。やるべきことはやってください。そう、あなたにはできます。

代わりに、**自分が過去にうまくできたことを振り返りましょう**。「前にもやったことがあるじゃないか。私にとっては難しい面があったのは確かだけれど、やり遂げられた。私ならまたできる」と言い聞かせましょう。

やってはいけないＮＧ② 不安を暴走させる

私たちの思考はいとも簡単に暴走します――物事が悪い終わり方をして、その影響が長く残るのではないかとまで思ってしまうのです。

たとえば「このテストが悲惨な結果に終わって、単位を落として、医者には絶対なれない」というのは明らかに不安の暴走です。

その代わりに、**自分と〝距離〟を置いて考えてみましょう。**その状況を他人に起こっていることとして考え、より合理的な評価をするようにしましょう。

「私のように、まずBの成績をとる人がいると考えよう。その人が自分のプロジェクトでひどい発表をしたとする。発表は成績の10パーセント分にあたる。この人は授業を落としそうかな？　他にもありえそうなことは何？」

やってはいけないＮＧ③ 不安を否定する

自分が不安なことを否定しないでください。

「不安になるな、不安になるな、不安になるな」と、くり返し自分に言い聞かせるのはやめましょう。また、「これくらい何でもない。こんなことで不安になるのは落ちこぼれだけだ」などと考えるのもやめましょう。

そうやって抑え込んでも、長い目で見ればうまくいきません。

場合によって短期的な対処が必要なときは、次のように自分に言い聞かせてみてもよいかもしれません。

「金曜日の試験のことが気になるけど、今は友だちと一緒なんだから楽しめばいいんだ。毎晩、勉強をする時間を決めてあるし、試験のことはそのときに考えられる。そのための時間はたっぷりとってあるから、今は考えなくて大丈夫」

やってはいけないNG④「自己流」に頼る

自己流治療はやめましょう。お酒や薬を利用すれば一時的に不安を和らげられるかもしれませんが、医薬品に頼るときは医師の指示に従いましょう。

医療の専門家に相談することなく治療を試みたりしても、改善にはつながりません。

ポイント
不安にはお決まりの思考パターンが伴うもので、それによって不安が悪化する。
不安が生じたら、その不安を認識し、そこから考えをそらすことができるとよい。

脳に効く方法

81
「グルグル思考」を断つ

不安から自分の環境に脅威がないかを探し、何も見つからないとまたいっそう不安になる、というように不安はコントロールが利かなくなっていくのでした（皆さんも経験があるかも）。では、どうすればこの悪循環を断つことができるのでしょうか？

ここでは、暴走する心を鎮めるための3つのステップを紹介します。最初の2つのステップについては、やってみながら自分の考えを書いてまとめてください。

書くとよいのは、記録すべき考えを選ぶことを通して、「比較と評価」を行うことができるからです。

1 「普通のことだ」と受け入れる

まず、自分の考えに抵抗したり、真正面から対処したりするのではなく、普通のこととして受け入れましょう。

「これは普通に、自分に起こっていることなのだ。最悪だけど、起こりうること。私はおかしくもないし、ダメでもない。それに、不安に感じるのは、受け入れがたいことじゃない。誰にでも起きることが、自分に起きているというだけなんだから」

2 冷静に評価する

心の中でその部分を乗り越えられたら、次は評価をしましょう。自分が想定していることが実際に起こる確率はどれくらいでしょうか？　もしそれが起こったとしたら、どうなると思いますか？　答えがわからないときに先生に当てられる可能性は、実際のところ高いのでしょうか？　それは日常的にあることですか？　もしくは、ほぼ起こらないことだけれど、心配なのでしょうか？

ネガティブな思考は強力に思えても、考えているだけでは何も起こりません。思考は実体のない一時的なもので、さらに言うなら〝個人的なもの〟です。

では、想定していたひどいことが実際に起こったとします。たとえば、当てられたけれど答えがわからないとか、試験に落ちるとか、勉強会で自分だけ準備不足で、メンバーに笑われるといったことです。

もし試験に落ちるか単位を落としたとしても、将来が台無しになるわけではありません。勉強会のメンバーの期待を裏切ったのなら、みんなに謝って、次回はその埋め合わせをしようと考えればよいのです。

3 もう一度やり直す

最後のステップは、再び関わることです。不安を普通のこととして受け入れ、冷静に評価したら、今度は頭の中から外へ出ましょう。世界と再び関わりを持つのです。

不安の原因になったものに、くじけてなどいないことを再確認するのです。ほんの小さな1歩——取り組んでいる論文の一段落を書く、次回のゼミの集まりではあえて発言するつもりはないけれど、欠席はしない、などでいいのです。この場合、クラスメイトとあいさつをすることや、言っていることに同意してうなずく……といったことでOK。

何をするときに自分が不安になるかわかっている場合は、その1、2日前にこの3つのステップを実行するとよいでしょう。

直前すぎると不安が勝ってどのステップも実行できなくなりますから、当日の1、2日前がベター。近く行われるイベントに緊張しだして、思考が渦を巻き始めたら、このように自分に言ってみてください。

「このあいだもこれと同じことをやったよね。そのとき、発表は自分が思っていたほど大ごとではないとわかったじゃないか？」

もっとも「自分の思考を普通のこととして受け入れましょう」と言うのは簡単ですが、やるとなると難しいものです。初めはこんなの無理だと思うかもしれませんが、だんだん簡単になります。

前に進もうとするだけで前進だということを忘れないでください。

ポイント

3つのステップ——「普通のことだ」と受け入れる、冷静に評価する、もう一度やり直す——で、自分の心を客観視しよう。

脳に効く方法

82

「ドキドキ」は「ワクワク」だ

不安は心と身体の両方に影響を与えます。そして身体が不安の影響を受けると、暴走する心を落ち着けることは厄介になります。

たとえば、心臓がドキドキしたり、筋肉がこわばったり、汗をかいたり、めまいがしたり――。そういう自分の状態を、環境に危険があるしるしだと思いますよね。

しかし、こうした身体の反応は別のとらえ方もでき、実は、**ワクワクしているときも同じ状態になる**のです。

もし、友だちが交際中の彼女にサプライズでプロポーズするのを目の当たりにしたら、いとこがアカデミー賞にノミネートされたら、あるいは自分の好きなサッカー・チームが試合終了直前にゴールを決めてライバルを破ったら、やっぱり心臓はドキドキするでしょう。

私は人前で話すことが多く、毎回、話す前には心臓がドキドキします。ただし、それは不安のせいではありません。

ワクワクしているのです。むしろ、ちょっとしたワクワク（改まった言い方をすると、覚醒）があると、いい仕事ができます。逆に、十分に覚醒していないと、眠くなります。

今度、心臓がドキドキして汗をかき始めても、不安だからだとは思わないでください。自分はワクワクしているのだと思いましょう。

ポイント

身体に特定の症状が出たからといって、自分が不安だとはかぎらない。ワクワクしたときにも同じ症状が出ることがある。

脳に効く方法

83 マインドフルネス瞑想を試す

覚えておいてほしいのは、不安が悪いことを引き起こすのではないということです。不安自体にそんな力はありません。

ただ、言うのは簡単ですが、そう信じるのはとても難しいもの。マインドフルネス瞑想は、自分の思考とのつき合い方を変える助けになります。

思考、感情、感覚をただ観察し、自分の心に浮かぶものを判断したり、自己批判をしたりはしません。「何も考えない」のではなく「その場にいる」のです。

インターネット上でも詳しいやり方が解説されていますが、ここで少しだけ触れておきます。

① タイマーを2分程度に設定し、楽に座り（または寝て）、ゆっくりと呼吸する

② 自分の呼吸や鼓動に意識を集中させる。その際、思考はあっちへ行ったり、

こっちへ行ったりするが、それをただ観察するだけにして、判断を加えることや、そういう思考をする自分を評価することはせず、呼吸に意識を戻す

③熟練者は、思考を手放すためによくイメージを用いる。思考を、小川を流れていく葉っぱや、風に乗って流れていく雲、浜辺に打ち寄せる波に見立てる。思考がやってきて、遠のき、また消えてゆく――はい、それだけ

「それだけ」とは言ったものの、何年も毎日瞑想している人は、①大変だけれど、②やっていると今でも新たな学びがある、と言います。

初心者にも得るものはあります。医者が心身どちらの病気の患者にも幅広くマインドフルネス瞑想をすすめるのはそのためです。

代表的なのはストレスと不安の解消で、研究では短期間、マインドフルネス瞑想のトレーニングを行うだけでも効果があると報告されています。アメリカでは、何百もの医療施設にマインドフルネス・ストレス低減法（MBSR）のプログラムがあります（私の勤務先であるバージニア大学もその1つ）。

自分の思考を観察すると不安が軽減するのはなぜでしょうか？　2つ理由が考えられます。

1つは、**自分の心の穏やかな状態を知るようになる**――つまり、心を惑わせる思考が吹き荒れていない状態がわかること。心の穏やかさを頻繁に感じることで、テストが始まるのを待っているときの不安な状況でも、落ち着いていられます。

また、**自分の思考を詳細に認識する能力を向上させられる**のだと思われます。そうすれば、何でもすぐさま感情的に反応しなくてすみます。

たとえば、あなたはレストランで友だちが来るのを待っています。待ち合わせ時間から15分が過ぎていますが、メールへの返信はありません。

「何かよくないことが起こったのでは……」と不安でいっぱいになってきます。しかし、そこで自分の思考を観察すると、「友だちは自分に愛想を尽かし、来ないことにしたんじゃないか」というネガティブな考えによって、自分の不安が焚きつけられていることに気づきます。

しかし、そんな考えはありえない。古くからの友だちなので、急に音信不通になるとは思えません。あなたは少し不安から距離を置いて考えることができます。

マインドフルネス瞑想は手強そうにみえますが、少しずつ取り組んでいくとうまくいく可能性が高くなります。

インターネット上にはやり方がたくさん公開されており、ガイドとなるアプリも豊富にあります（Headspace, The Mindfulness App, Calm などを検索してみてください）。

まずは毎日2分間だけ静かに座ってみるのでもかまいません――1日に長くやるよりも毎日続けることのほうが大事です。

最初はたくさん失敗すること、思ったように集中するのは難しいことを心に留めておいてください。瞑想もまたスキルの1つなので、練習を重ねれば楽にできるようになりますよ。

ポイント　マインドフルネス瞑想は意外と簡単。人によっては不安に対処する大きな力になる。

おわりに

苦しかった勉強が、脳を活かすと断然おもしろくなる

バージニア大学の教授になって3年目の秋に、私はその時点までの研究および教育の成果を文書にまとめて提出する必要がありました。2人の先輩教授がこの審査書類を読んで、どうすれば改善できるかを直接指導してくれることになっていました。

その3年後にはもっと深刻な審査が待ち受けていた私は（その結果で昇進か解雇かが決まるのです）、ここでぜひとも2人のフィードバックを聞いておきたいと切望していました。

しかし、私の上司であるところの2人は、なんと面談中に私そっちのけで大議論を

始めてしまったのです。

A教授は、私の研究には将来性があるけれど、私が作成した書類にはおもしろみが感じられないと言いました。「偉大な科学者は多少なりとも遊び心を持って研究をするものだが、あなたはひどく生真面目にみえる」。

するとB教授がすかさず反論しました。「おもしろみだって？　研究はパーティに行くのとはワケが違いますよ」。

ようやく2人が我に返ってかけてくれた言葉は、「まあ、君はよくやっていると思うよ」というひと言だけ。

私が本書の締めくくりにこの話を書いているのは、「学ぶことはおもしろい」ということをここまで少しも伝えてこなかったからです。

むしろ、私が伝えてきたのは「どうすれば苦痛な学習がイヤでなくなるか」ということ。私は、実は断然「学ぶことはおもしろい」派なので、そのことが引っかかっていました。

しかし、よくよく考えてみると、矛盾はないのかもしれません。学習はたぶん、自分でテーマを選んだときにはおもしろくなり、他の人が選んだときにはつまらなくなるのでしょう。

とはいえ、「学ばなければならない」と「おもしろくない」のつながりはどれほど強いものなのでしょうか？　多くの学生は、この2つをイコールだと思っているようです。

しかし、**最初は退屈だった内容でも、だんだん興味を持つことはできる**のです。本書をよく読んでいただいた皆さんは、次のことがわかっているでしょう。

- 情報に興味を持てれば、その情報にしっかり注意が向かう
- しっかり注意が向かえば、多くを覚えられる
- 多くを覚えられれば、試験の成績がよくなる可能性が高まる
- 試験の成績がよくなれば、自信がつく
- 自信がつけば、タスクが達成できる気がする
- タスクが達成できる気がしたら、先延ばしが減る
- 先延ばしが減ったら、勉強のペースを保つことができる
- 勉強のペースを保つことができたら、幅広いテーマに詳しくなる
- 幅広いテーマの知識が増えたら、新しい情報が理解しやすくなる
- 新しい情報を理解したら、その情報により興味が持てる

学習のポジティブなサイクル

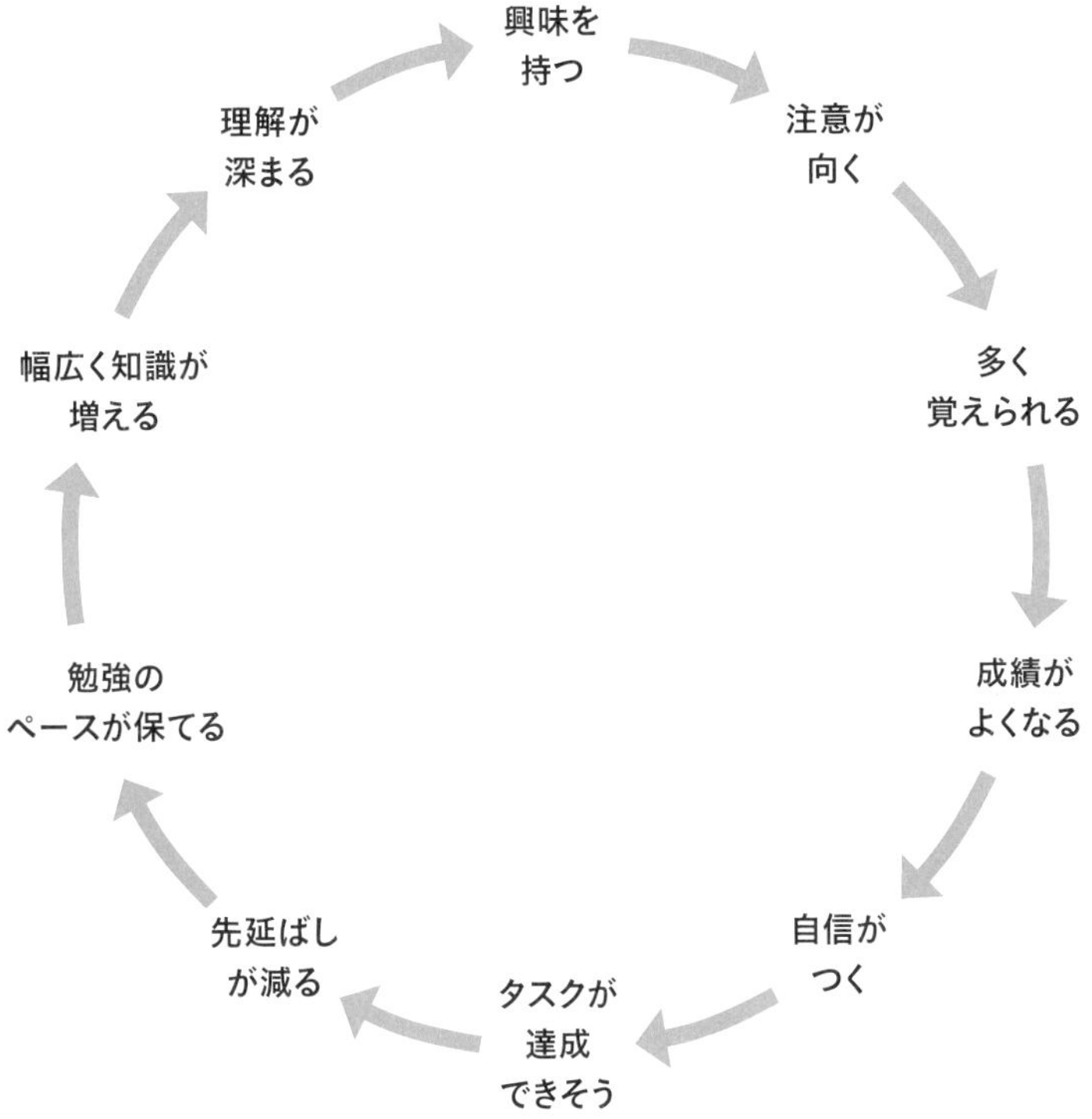

最初の3つの効果はわかりやすいでしょう。興味のあることを勉強したり、覚えたりするのは簡単ですね。ただ、その他の効果についてはどうでしょうか。

原動力となるのは〝興味〟だけだと考えてはいませんか。つまり、興味があるから（注意や記憶のような）他のプロセスが機能するのだと。

しかし、**他の認知プロセスの結果、興味が生まれる可能性だってある**のです。このサイクルを図にしてみるとわかりやすいでしょう。

必ずしも「興味」から始めなくてもよいことがよくわかるでしょう。どこからでも始められますし、複数の地点から始めることもできます。

12章では、あまり興味がないことでも集中力を保つ方法を学びました。また、6章では記憶力を向上させる方法を、11章では先延ばしを克服する方法を、13章では自信についてのさまざまな考え方を学んできました。自信、記憶力、集中力などが少しでも改善されるにつれ、サイクルの効果は拡大し、興味が増していくのです。

退屈でわかりにくいテーマだったのに、しつこく学び続けたら、それほど退屈でなくなった（むしろ興味を持つようになった）、というような体験はありませんか。

もちろん、何を学ぶべきかを自分で選べてこそ、自立した学習者だと言えるのだと思いますが、どんな学びが得られるかわからないのに、最初から自分でどうやって選べというのでしょう？

あなたにはいつも学ぶことにオープンでいてほしいのです。好奇心を持ち続けてください。いつでも新しい何かを発見する準備をしていてください。それはポジティブに生きるということを意味します。

新しい学びはいずれ興味、楽しみ、満足をもたらします。「今はよく知らない」ということはこれから先、おもしろくなる可能性が無限大だということ。

私がこの本で目指したのは、たとえ好奇心が持てなくても新しい情報やスキルを学べるよう、そのプロセスをシンプルにすることでした。

旅にたとえるなら、目的地に確実にたどり着ける地図をつくりたかったのです。

そして、私の一番の願いは、この本とともに、あなたに冒険に出かけてもらうことです。世界にはまだまだ秘密の宝がたくさん眠っているのですから。

原書に掲載されている参考文献は、以下のURLから
PDFファイルをダウンロードできます。

https://str.toyokeizai.net/books/9784492047569/

勉強脳

知らずしらずのうちに結果が出せる「脳の使い方」

2023 年 12 月 19 日　第 1 刷発行
2024 年 3 月 25 日　第 4 刷発行

著　者――ダニエル・T・ウィリンガム
訳　者――鍋倉僚介
発行者――田北浩章
発行所――東洋経済新報社
〒103-8345　東京都中央区日本橋本石町 1-2-1
電話＝東洋経済コールセンター　03(6386)1040
https://toyokeizai.net/

ブックデザイン……山之口正和+齋藤友貴（OKIKATA）
D T P……………天龍社
印刷・製本………丸井工文社
編集協力…………リリーフ・システムズ
編集担当…………能井聡子
Printed in Japan　　ISBN 978-4-492-04756-9